プロが教える新常識

パソコンの超残念な使い方

JN110318

吉岡　豊

青春新書
PLAYBOOKS

はじめに　進化するパソコンを使いこなせる人から得をする！

近年、インターネットのサービスが、ますます便利になってきている。電話やビデオ通話が無料でできるのはもはや当たり前だし、アマゾンで注文すれば、翌日には商品が手元に届く。ネットフリックスやフールーといった動画配信サービスでは、半年前に公開された映画を見ることができ、飛行機や新幹線、ホテルの予約だって、アプリを使えばいつでもどこからでもできる。パソコンやスマートフォンがあれば、生活のほとんどの用事を済ませられるようになった。

さらに、２０２０年春には、５Ｇによる通信サービスが始まった。これにより、近い将来、自動車の自動運転やスマートフォンで家電を遠隔操作できるＩｏＴといった、夢のような技術が実現するだろう。ウェブ会議やテレワークが普及し、働き方改革が本格化して、生活スタイルが一変するかもしれない。ＶＲ（仮想現実）は、映画やスポーツなどの映像にとどまらず、医療の発達などにも応用される可能性を秘めている。

パソコンやスマートフォンを使った生活には、多くの可能性が秘められているが、便利になるほど、その裏で覚えておきたい操作や機能が増えてくる。利用するサービスが増えるほどに、ユーザーIDとパスワードも増え、操作手順やルールも複雑化したり、リスクが増えたりしてくる。パソコンやスマートフォンを使いこなせている人はその恩恵を享受してより生活を便利にしていく。その一方で、日々増えていくパソコンの専門用語と複雑化する操作手順についていけないユーザーは、警告画面やトラブルなどにつまずいて先に進めなくなってしまう。

本書では、オフィスや家庭で起こるパソコンに関するトラブルや疑問から、いまさら聞けない用語や規格、知っておくと便利なテクニックなどを満載し、丁寧に解説している。また、Windows7のサポートが終了したことを受けて、Windows10へのアップグレードの注意点についても掘り下げている。本書が、パソコンがある生活の一助となれば幸甚だ。

2020年4月　吉岡豊

プロが教える新常識　パソコンの超残念な使い方◆もくじ

1章 苦手意識の原因は「知らない」だけ？ 超基本の使い方

2章 こんなときどうすれば？ 困ったときの使い方

3章 身の回りにも迷惑をかける？ ネットの危ない使い方

4章 プロがみたら危険で心配？　やってはいけない使い方

5章 もっと賢い方法がある？ 知って得する使い方

本文デザイン・DTP　佐藤 純（アスラン編集スタジオ）

1章 超基本の使い方

苦手意識の原因は「知らない」だけ?

ハードウェア

パソコンの苦手意識は、あって当然？

パソコンが苦手という人は、「操作がややこしい」「専門的な知識が必要」「タイピングが億劫《おっくう》だ」といった理由を挙げる。確かにその通りだ。エクセルの操作だけでも、何冊もの書籍が出るほどの分量がある。しかし、〝何〟と比べて「操作がややこしく」、「専門的な知識が必要」なのだろう。それは、自宅にある家電製品だ。パソコンに似た形をしたテレビを例にとってみよう。

テレビの目的はたったひとつ、放送されている番組を映し出すこと。リモコンで電源ボタンを押して、チャンネルのボタンを押すだけで目的を達成できる。その他の操作といえば、音量の調整と入力の切り替えくらいだ。テレビの操作マニュアルを読み込むと、専門用語も出てくるけれども、ユーザーはそんなことを意識しなくても使える。このように、洗濯機に掃除機、エアコンなど、自宅にある多くの家電は、目的が明確で、操作が単純。専

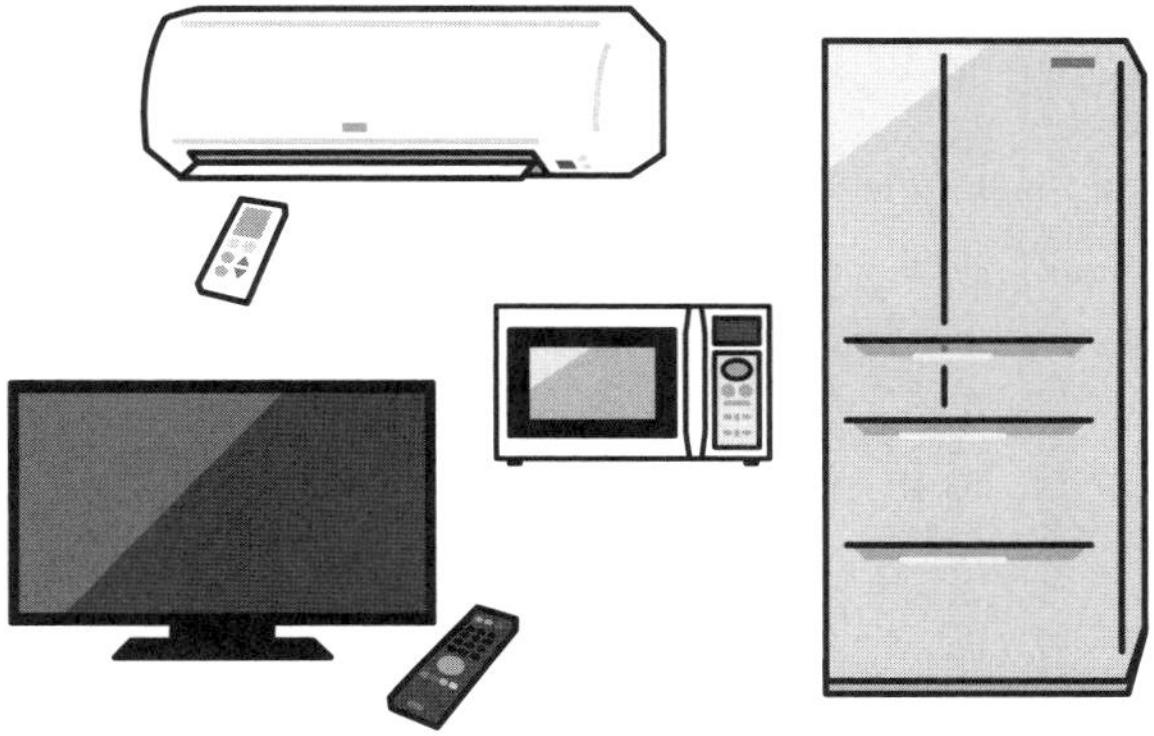

▲家電は目的が明確で操作がかんたん！

門用語を知らなくても利用できる。

　パソコンはどうだろう。パソコンを持つ目的は、インターネットだったりエクセルやワードでの作業だったりして、ユーザーによってさまざま。仕事用、プライベート用といった用途や場面によっても異なってくる。目的が曖昧《あいまい》で得体の知れない機器といえるだろう。しかも、アプリを追加したり、周辺機器を接続したりして、機能を拡張できる上にボタンが多い。「クリック」に「ドラッグ」、「ウィンドウ」など、専門用語であふれ返っている。

　ユーザーとしては、パソコンには家電製品のようにボタンひとつでリクエストした動作を実行してもらいたい。そう、ロボットのように……。

2020年3月現在、ドラえもんのようなロボットはまだ売られていないが、パソコンが向かう先はロボットなのだ。グーグルが提供しているスマートフォンの基本アプリケーションは「Android」といい、それを象徴している。アマゾンの「Alexa」やグーグルの「Googleアシスタント」といった音声アシスタントは、音声での機器の操作に挑んでいる。10年後には、AI（人工知能）がより進化して、ロボットに近い形になっていることだろう。

とはいえ、今、目の前にあるパソコンは、マウスやキーボードを使って、処理を1つひとつ命令してあげなければ動かない。パソコンは、発展途上の機器なのだ。

ならば、こう考えてみてはどうだろう？　小学校低学年の子どもに、リンゴをむいてくれるように頼むとする。お手伝いなどほとんどしたことがなく、包丁やまな板がある場所すら知らない。そんな子どもには、包丁やまな板、皿の場所をいちいち教えるはずだ。そして、包丁の持ち方、むき方まで指導するだろう。パソコンも、道具や方法、結果を保存する場所を指定してやると、作業そのものは人間よりも上手に、すばやく実行できる。つまり、**「パソコンに仕事を任せる」ではなく、「ユーザーがリードしてパソコンに仕事をさせる」**と思えば、パソコンとの関係が少し変わるかもしれない。

ハードウェア

エラーや警告は正しく対処すれば怖くない

「下手に触ると壊してしまうから……」という理由で、パソコンの操作を必要以上に怖がっている人が意外と多い。この場合は、「エラーメッセージ」や「警告メッセージ」、「Windows Update」やアプリの「アップデートの通知」などに戸惑いを感じて、触れなくなってしまうようだ。

エラーメッセージや警告メッセージが表示されると、ドキッとする、メッセージの内容を読んでみるけれども、内容を理解できず、どうすることもできなくなる……といった経験をした人も多いことだろう。エラーや警告の内容がわからないときは、必ずわかる人に聞いてみよう。頼れる人がいないときには、スマートフォンなどで、**表示されているエラーの内容をキーワードに検索すると解決策を調べられる。**エラーや警告に対して丁寧に対処していくことで、経験値が上がりメッセージボックス表示への拒絶反応も和らいでいく。

エラーや警告メッセージが表示されたときに、**どうすればいいのかわからないからと、パソコンの電源を強制的に落としてしまうことは絶対にやめよう。**作業中のデータが消えてしまうことはもちろん、故障の原因となりかねない。

また、Windows Updateやアプリのアップデートは、パソコンが再起動されたり、インストールに非常に時間がかかったりすることから、実行をためらってしまうケースがみられる。Windows Updateやアプリのアップデートは、セキュリティや機能を向上させるためのプログラムだ。必ず実行してWindowsやアプリを最新の状態にしよう。

パソコンは、よほどハードな使い方をしなければ、ユーザーの操作によって深刻な状態になることは少ない。エラーや警告が表示されても、正しく対処して、恐れずに使い慣れてほしい。

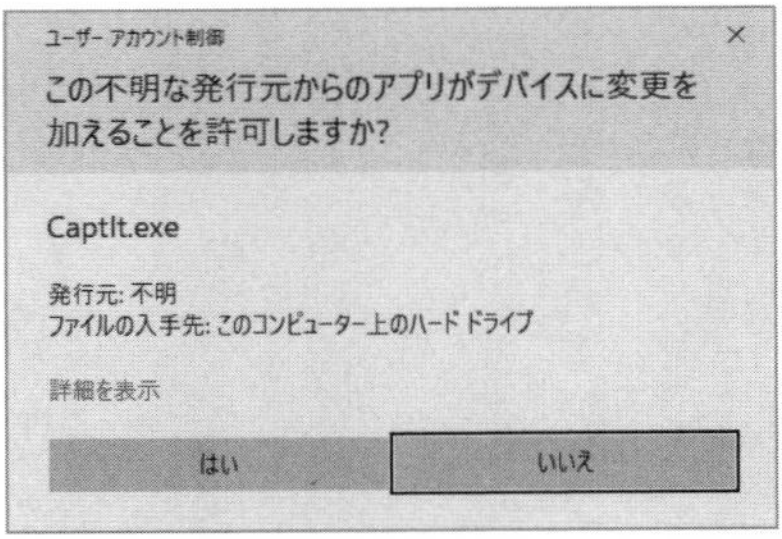

▲警告が表示されると内容を判断できずに、戸惑ってしまうことがある

ハードウェア

フリーズ中の「キー連打」は状況を悪化させるだけ

Windowsやアプリの動作が止まってしまったとき、マウスのボタンを続けてクリックしたり、[Enter] キーを連打したりしていないだろうか？ この操作は、フリーズ状態（止まったままの状態のこと）を長引かせたり、別の動作を実行させてしまったりする原因となるため、してはいけない。

クリックする、ドラッグする、キーボードのキーを押すなど、パソコンに対するユーザーの動作はすべて命令で、パソコンは下された命令を忠実に実行する。つまり、[Enter] キーを連打することは、「実行しろ、実行しろ、実行しろ」と命令を下していることになる。アプリが**フリーズしている場合、多くはそれ以前の命令の処理が遅れ、次の動作に移れないことが多い。そこへ [Enter] キーを連打すると、さらなる命令を処理しようとするために、余計に処理が遅くなってしまう。**

フリーズした場合は、しばらく放置しておくのがいい。少しでも早く処理を終わらせたいなら、室温を下げ、パソコンを冷やすように心がけよう。ただし、保冷剤を貼り付けるなど、急速に温度を下げると結露して、故障する場合があるため注意が必要だ。

いくら待ってもフリーズが解消されない場合は、まず、キーボードで［Ctrl］＋［Alt］＋［Delete］キーを押し、表示される画面で［タスクマネージャー］をクリックして、［タスクマネージャー］の［プロセス］タブを開く。次に、［アプリ］の一覧で目的のアプリを選択して［タスクの終了］ボタンをクリックしてアプリを終了させよう。

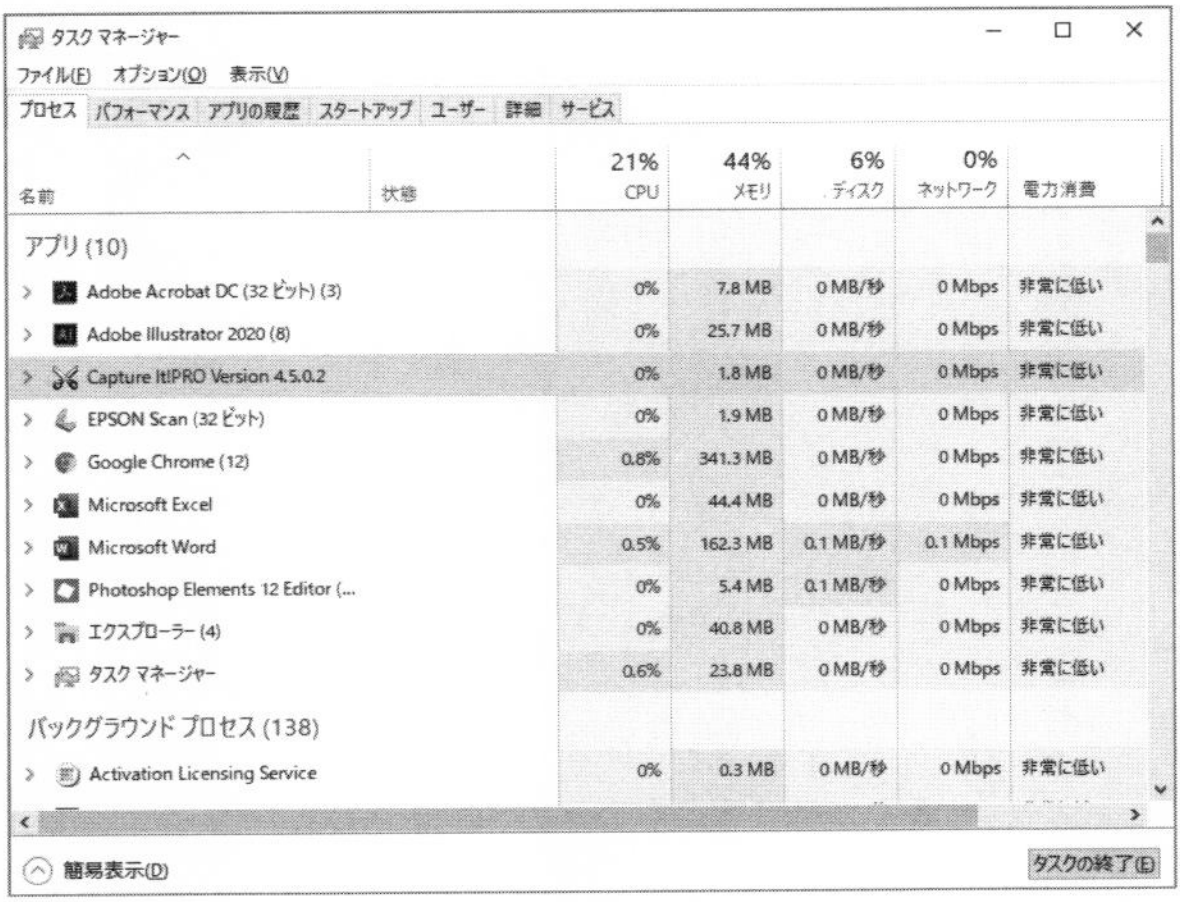

▲アプリがフリーズしたらタスクマネージャーでアプリを終了させよう

ハードウェア

「パソコンは精密機器」って忘れていませんか？

ノマドワーク（パソコンやスマホを用いて、オフィス以外の場所で仕事をすること）が一般的になり、喫茶店やファミリーレストランでノートパソコンを開きながら飲食している人をよく見かける。最近のカフェやレストランでは無料のWi-Fiも利用でき、仕事をするには快適な空間となっている。ノートパソコンの性能が大きく向上し、さらに軽く、薄くなって、携帯しやすくなったことも、ノマドワークの一般化に大きく貢献している。

しかし、**ノートパソコンにとってカフェやレストランは、かなり危険な場所である。**手元には常に飲み物があり、ちょっとしたはずみでこぼしてしまいかねない。多くのノートパソコンは防水対応しておらず、キーボードから液体が浸入すると、たちまち故障してしまう。または、食べこぼしがキーボードの隙間に入ってしまうと、タイピングしづらくなったり、特定のキーが入力できなくなったりすることもある。

また、大勢の人が集まる場所のため、隣の席の人の上着が引っかかって飲み物を倒してしまったり、鞄が机にぶつかってノートパソコンを落としてしまったりなんてことも起こりかねない。

パソコンは、微細な回路やチップ、端子などからできていて、非常に繊細な機器だ。ノートパソコンは、携帯できるように基盤や回路がさらに小型化されているため、よりデリケートな精密機器だ。衝撃や液体、ホコリには大変弱く、室温が高い場所で使い続けると、熱暴走を起こして故障してしまう。**パソコンは、極力濡れる心配がない、涼しい場所で使用し、こまめに掃除をすることが大切だ。**

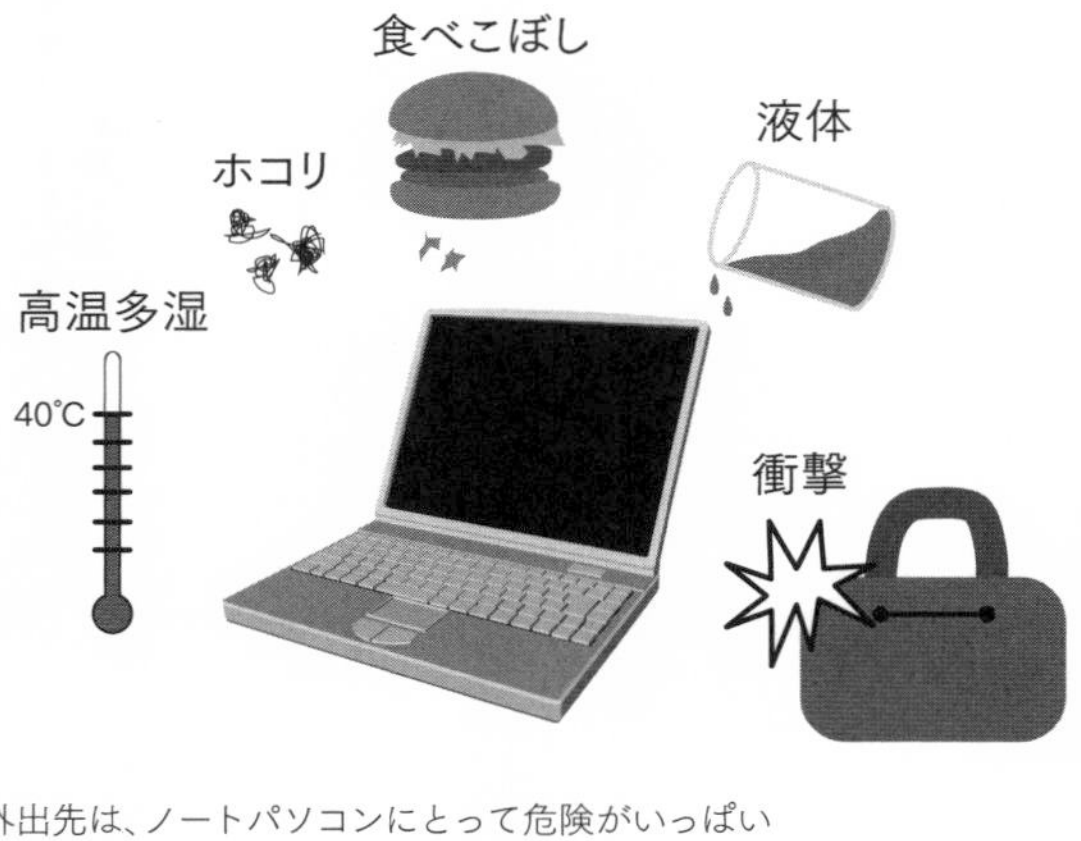

▲外出先は、ノートパソコンにとって危険がいっぱい

ハードウェア

世界につながるパソコンを正しく恐れる

ビジネスは、もはやインターネットを中心に回っているといっていい。オフィスに居ながら、世界中から必要な情報を収集でき、物品を購入できて、ホテルや航空機、鉄道などの予約ができる。また、ホームページがあればイベントの告知・集客、商品の販売、マーケティングなども行える。インターネットを効率よく利用するほど、その恩恵にあずかれる。

しかし、インターネットには、不正アクセスやウイルス、架空請求詐欺、誹謗中傷など、多くの危険が潜んでいて、その被害は毎日のように報告されている。ほとんどの人は、パソコンにセキュリティソフトをインストールしてリスクに備えているけれども、それで満足してしまっている。不正アクセスや炎上騒ぎなど、深刻なインターネットでのトラブルを対岸の火事のように捉えがちだ。

パソコンが**インターネットに接続できるなら、誰でもトラブルの被害者、あるいは加害者にすらなる可能性がある**ことを知っておこう。特にオフィスにあるパソコンならなおのことだ。

企業には、顧客情報や従業員情報、製品情報、マーケティングデータなど、利用価値の高い膨大なデータが保存されている。それだけで不正アクセスの標的になるに十分な理由だ。オフィスからSNSを利用するなど、少しでもスキを見せると、悪意のある第三者の格好の餌食となる。インターネットで世界のあらゆるウェブサイトやサービスを利用できるということは、世界のどこからでも攻撃される可能性があるということを忘れてはいけない。

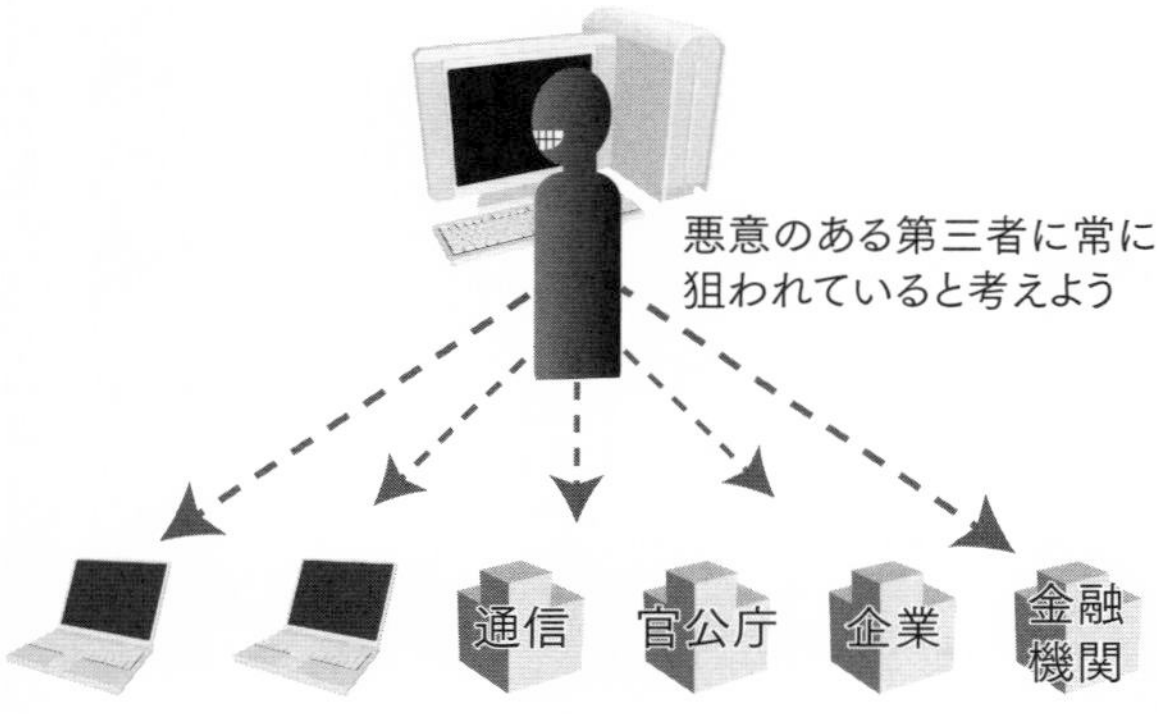

ハードウェア

パソコンは「自分が使いやすい」ように進化する

新しいパソコンは、不要なアプリがいくつもインストールされているし、頻繁に表示される通知画面を閉じるのが面倒だ。電源を入れるとプリインストール（新しいパソコンにあらかじめインストール）されたアプリがバックグラウンドで動いて、完全に起動するまでに時間がかかるケースも多い。パソコンを初期設定のまま使い続けることは、あまり現実的なことではない。

パソコンを購入したら、まずは、自分好みの設定に変更するところから始めよう。不要なアプリは削除し、Windowsの起動時に起動するバックグラウンドアプリを選定する。また、ウェブサイトをお気に入りに登録したり、利用頻度の高いファイルのショートカットをデスクトップに配置したりするなど、便利に使うための工夫をしよう。セキュリティを高めるために、セキュリティソフトをインストールし、Cookie（詳細↓98ページ）や自動入力の候補、履歴などの設定を変更しておこう。

そして、アプリをインストールしたり、周辺機器を繋いだりして、機能を追加しよう。**業務に合わせて機能を追加したり、ユーザーに特化したり、カスタマイズしたりすることで、ユーザーに特化した使い勝手の良い便利なツールに進化する。**パソコンがユーザーのニーズに合った仕様になると、業務効率が上がるだろう。

ただし、パソコンに慣れてくると、フリーソフトをインストールしたり、ネット上のサービスを利用したりすることに抵抗がなくなってくる。油断すると、不正アクセスのターゲットになったり、ウイルスに感染したりするなどの被害を受けることになるため、油断は禁物だ。

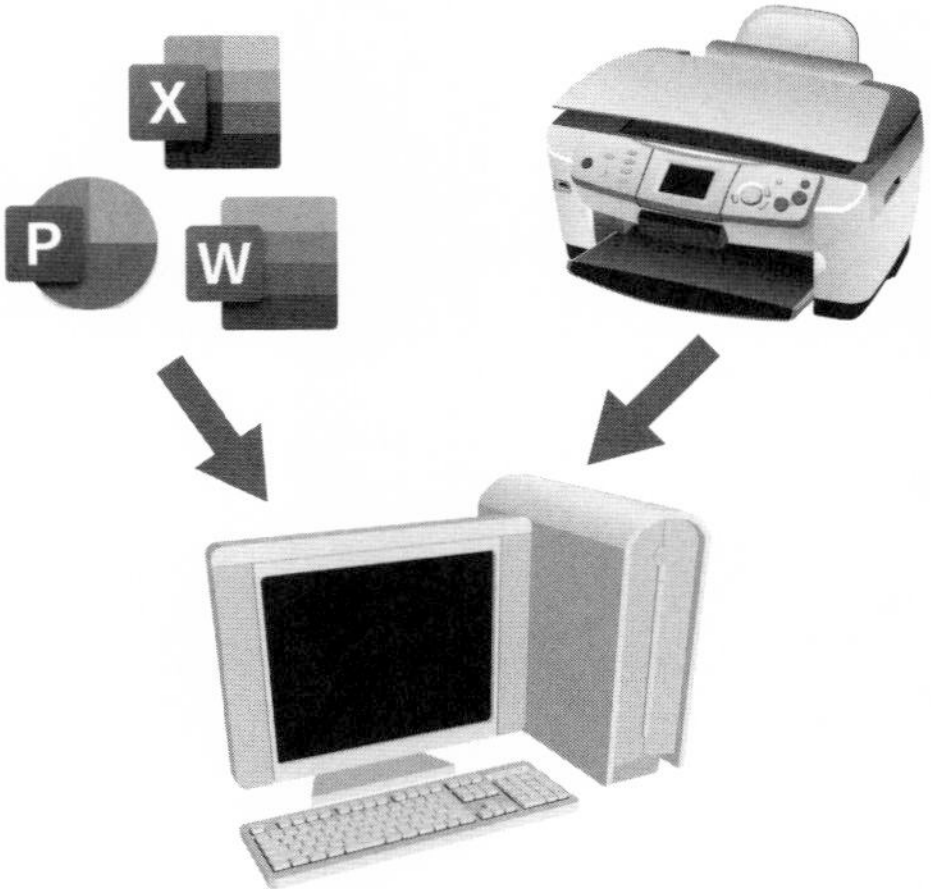

▲パソコンを使いやすくカスタマイズしよう

2章

困ったときの使い方

こんなときどうすれば？

Windows7→10

Windows10を初期設定のまま使ってはいけない

ユーザーに寄り添ったサービスを提供しようとすると、必ずユーザーの情報が必要になる。その情報が詳細で多くあればあるほど、ユーザーのニーズに応えられるのだが、裏を返すと、ユーザーがいつ、どこで、どんなときに、どんなものを必要としているのかといった非常に個人的なデータを差し出してもらう必要がある。

Windows10には、ユーザーに寄り添うための機能が豊富に用意されているが、同時に個人的な情報を取得するためのさまざまな機能が搭載されている。Windows10を初期設定のまま使用すると、知らない間にさまざまな情報がマイクロソフトのサーバーに送信されてしまうのだ。もちろん、それはユーザーのために用意された機能で、情報の搾取が目的ではないだろうが、その情報が悪用される可能性があるとすれば無関心ではいられない。プライバシーに関する設定の内容を確認して、気になる機能は無効にしよう。

[全般]画面

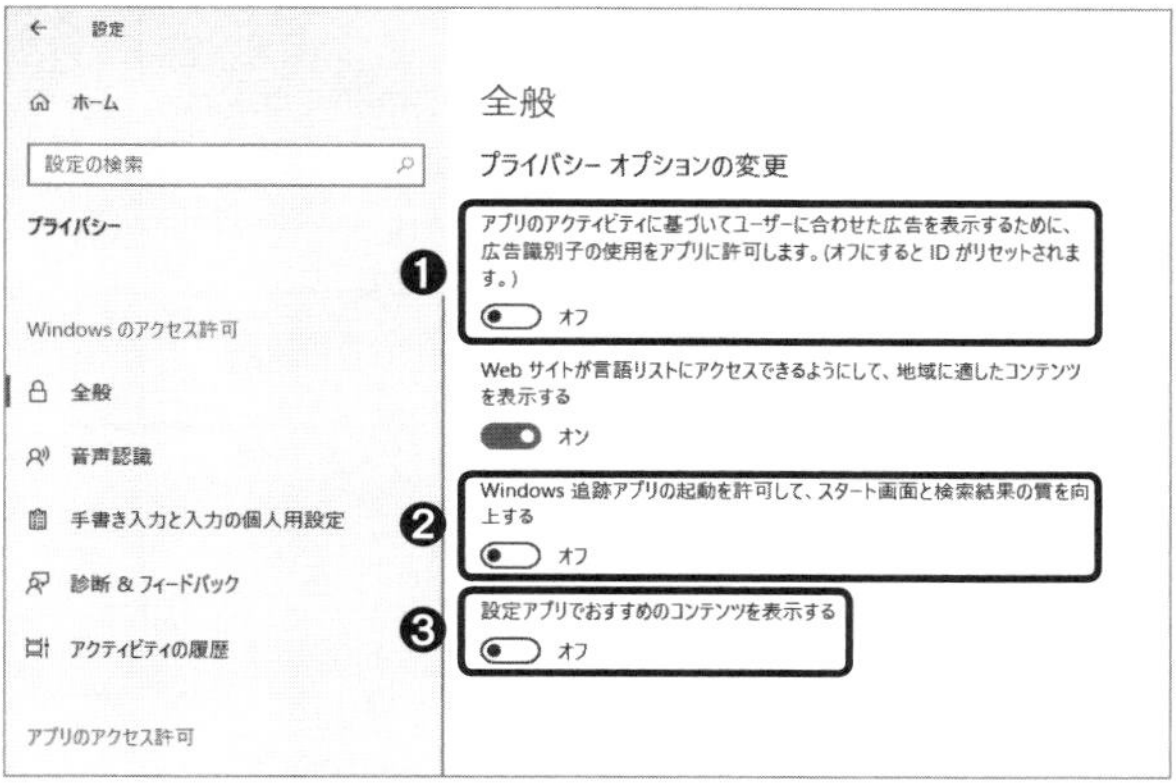

❶**[広告識別子の使用をアプリに許可]**:マイクロソフトがユーザーの志向に合わせた広告を表示するための機能で、オフにした方が良い

❷**[Windows追跡アプリの起動を許可]**:アプリの起動が監視され、よく利用するアプリが優先的に表示されるようになる。オフにしても差し支えない

❸**[設定アプリでおすすめのコンテンツを表示]**:[Windowsの設定]画面におすすめのコンテンツが表示させる機能だが、オフにして差し支えない

Windows10のプライバシーの設定は、[スタート]ボタンをクリックし、[設定(歯車の形のアイコン)]をクリックして、[プライバシー]をクリックすると表示される画面にまとめられている。なお、ここでは、最も憂慮されるプライバシー設定についてのみ紹介する。

[手書き入力と入力の個人用設定]画面

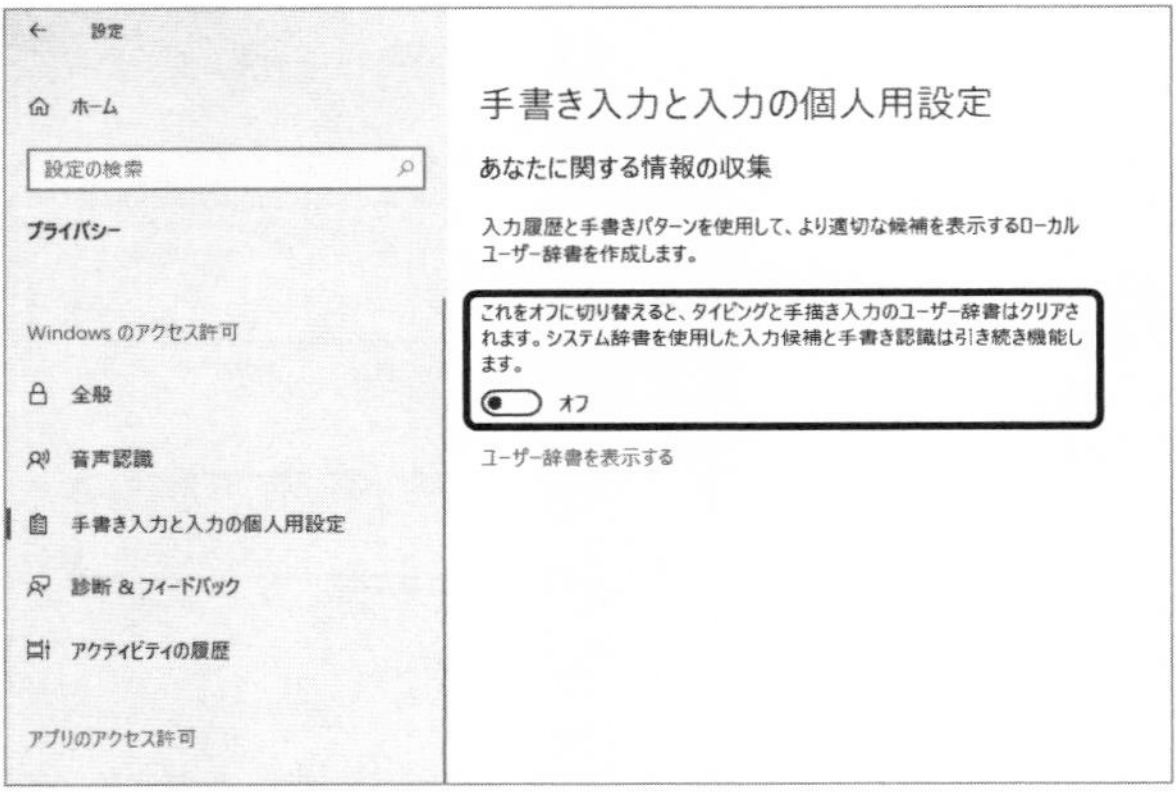

[あなたに関する情報の収集]:入力された固有名詞や辞書にない単語を個人用辞書に保存して入力を補助する機能だが、IME機能の学習機能も用意されているため、オフにして差し支えない

[診断&フィードバック]画面

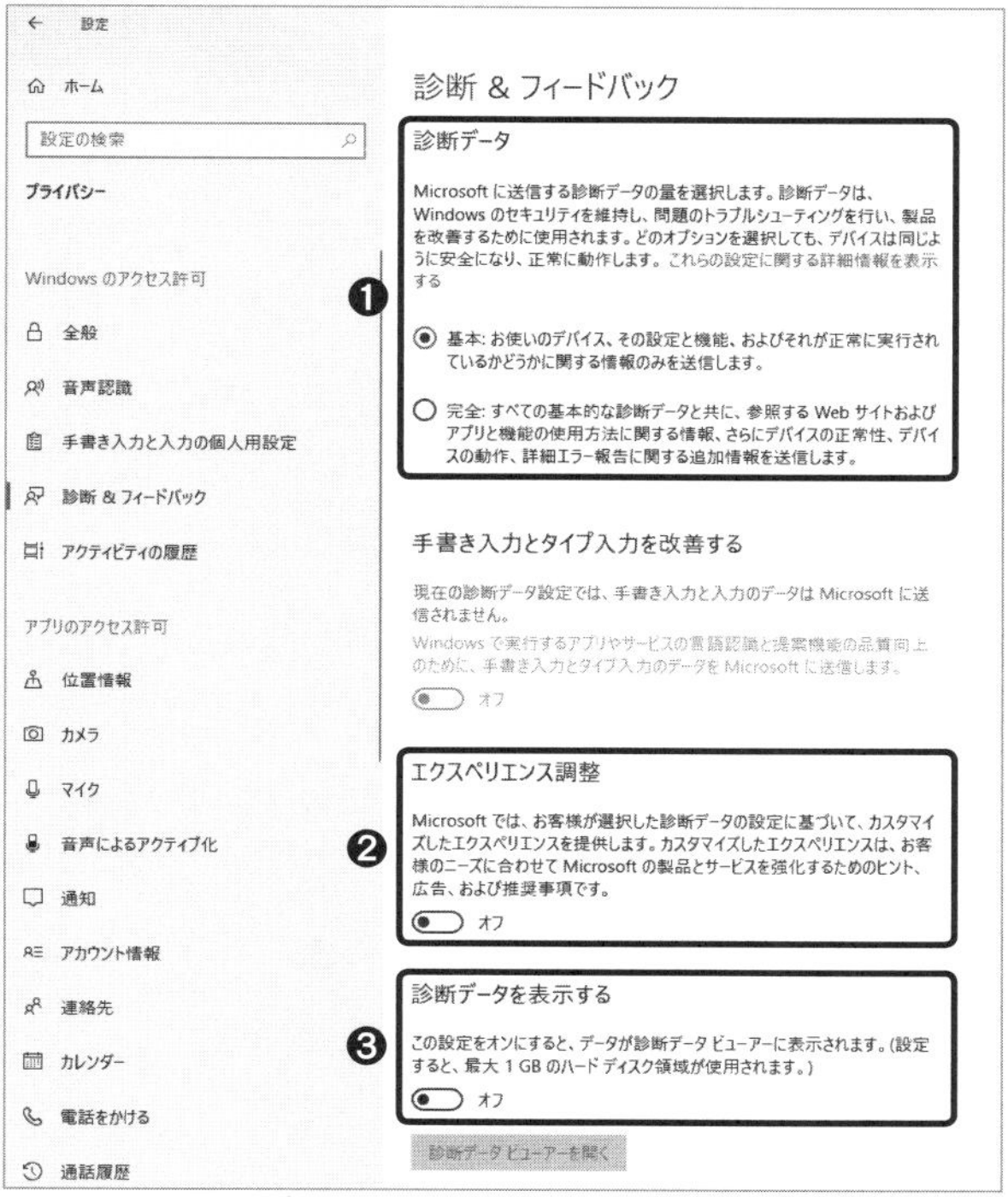

❶[診断データ]:[完全]を選択すると使用したウェブサイトとアプリに関する情報が送信されてしまうため、[基本]を選択しておいた方が良い

❷[エクスペリエンス調整]:マイクロソフトからの提案や広告を表示するための機能のため、オフにして差し支えない

❸[診断データを表示する]:オンにすると1GBのハードディスク領域が使用されるため、オフにしておいた方が良い

[アクティビティの履歴]画面

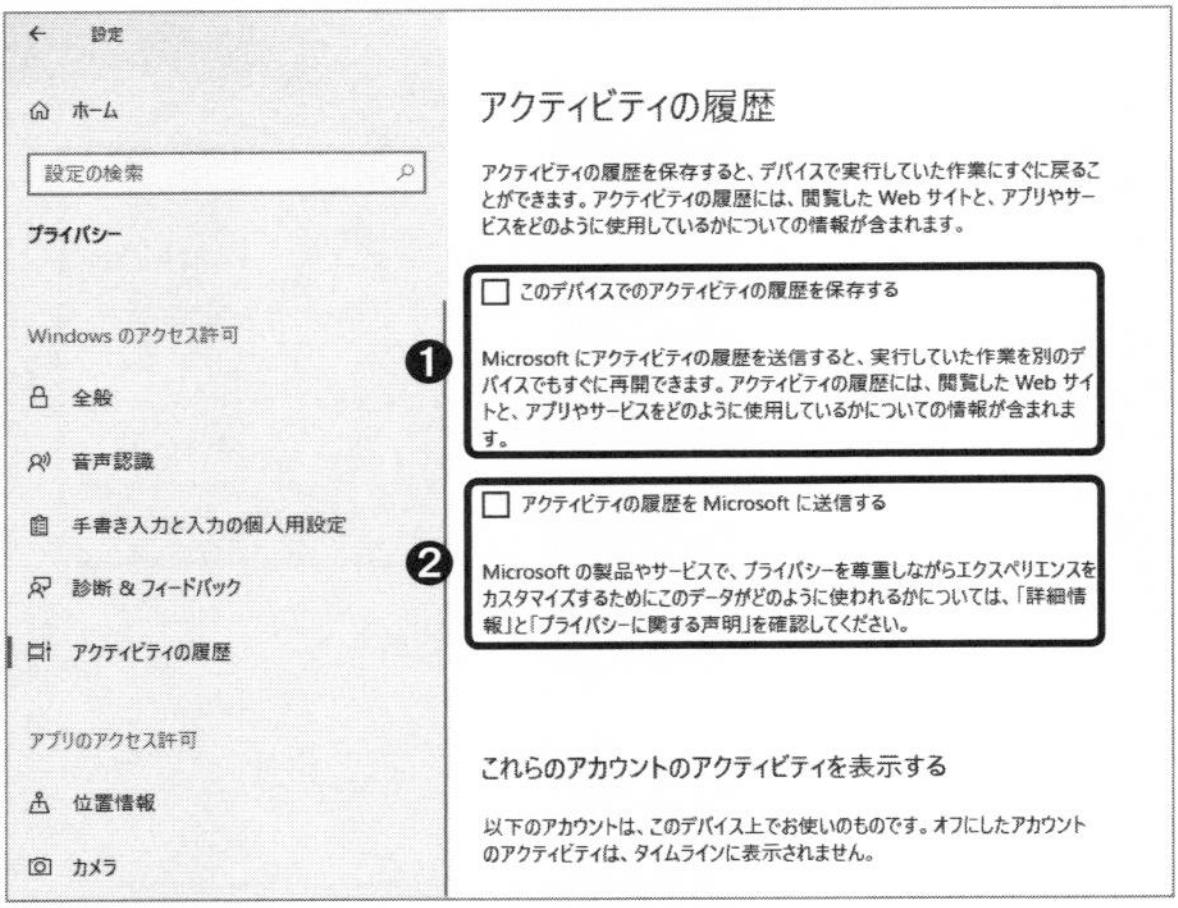

❶[このデバイスでのアクティビティの履歴を保存する]:保存されたウェブの閲覧履歴やアプリの作業履歴を表示し、その時点の操作にさかのぼれる機能。必要な場合はオンにしておこう

❷[アクティビティの履歴をMicrosoftに送信する]:同じマイクロソフトアカウントでログインしたパソコン間で、アクティビティの履歴を同期できる機能。オフにしておいた方が無難

[位置情報]/[カメラ]/[マイク]/[連絡先]画面

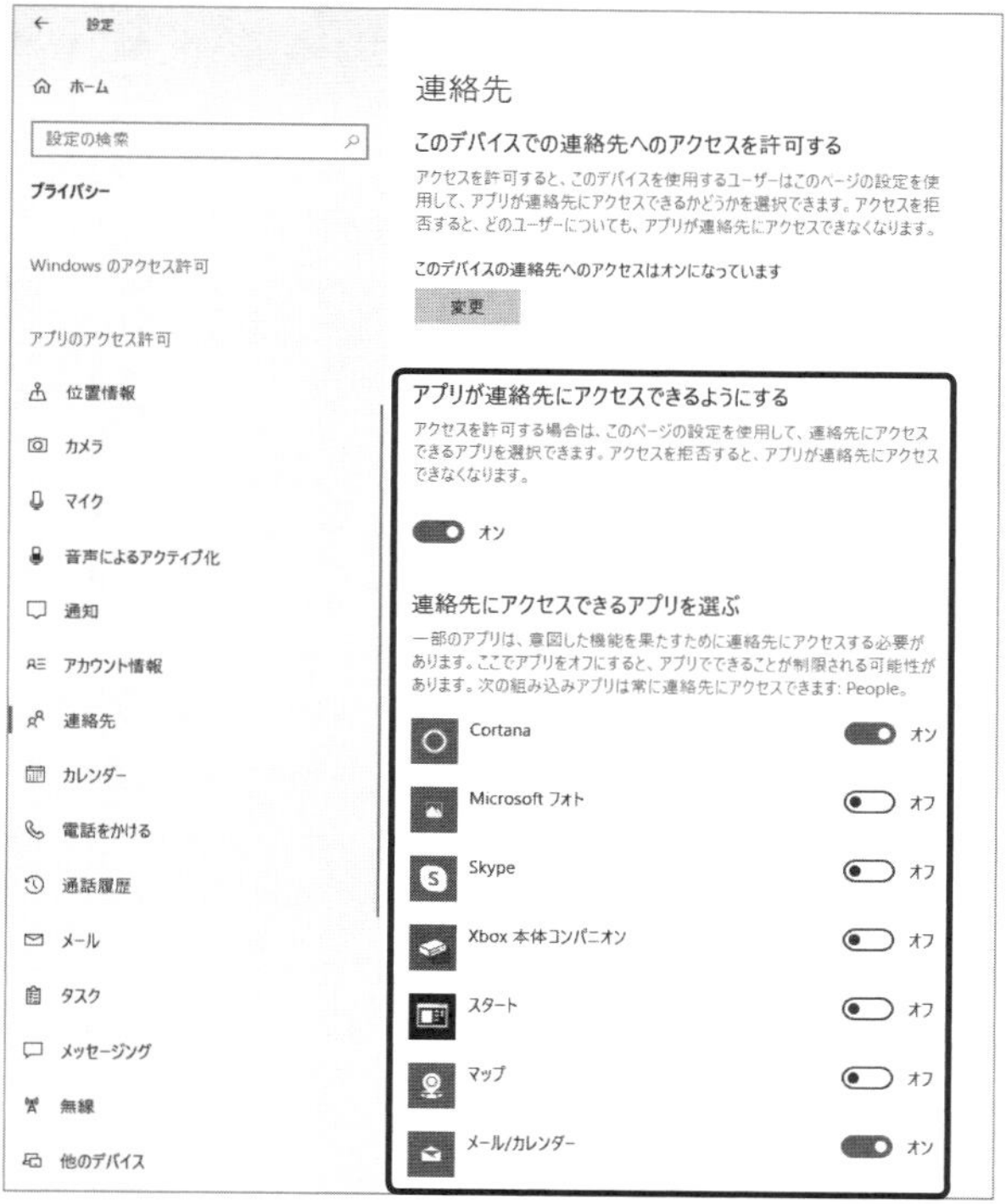

位置情報やカメラ、マイク、連絡先などの情報には、さまざまなアプリがアクセスできる仕様になっている。利用頻度の低いアプリによるこれらの情報へのアクセスは、制限した方が良いだろう

Windows7→10

Windows7はいつまで使っていて大丈夫?

マイクロソフトによるWindows 7のサポートは、2020年1月14日をもって終了したが、Windows7がインストールされたパソコンは使い続けることができる。

ただし、Windows7の修正プログラムや機能の追加、最新のセキュリティファイルといったアップデートは行われなくなる。

また、Windows7向けのアプリも作成・販売されなくなり、プリンターなどのドライバーも配布されなくなる。

そのため、**Windows7を使い続けられたとしても、いずれはウイルスや不正アクセスの危険にさらされながら、古いアプリでの非効率的な作業を強いられることになる。**

それでは、Windows7がインストールされているパソコンに、Windows10をインストールすればよいのかといえば、そんなに単純なことでもない。Windows7がインストールさ

Windows10のシステム要件

CPU	1GHz以上のプロセッサまたはシステム・オン・チップ
メモリ	1GB(32ビット版)/2GB(64ビット版)
ハードディスクの空き容量	16GB(32ビット版)/20GB(64ビット版)
グラフィックスカード	DirectX9以上およびWDDM 1.0 ドライバー
ディスプレイ解像度	800×600

れているパソコンにそのままWindows10をインストールできるとは限らないからだ。

また、仮にインストールできたとしても、ハードディスクやメモリに余裕がなければ、Windows10がスムーズに動いてくれない。それに、Windows7で利用していたアプリがWindows10に対応していないこともあるので、あらかじめ確認が必要だ。

なお、Windows7からWindows10への無償アップグレードは、2016年7月29日に終了している。そのため、Windows7からWindows10にアップグレードするには、Windows10のライセンスを購入し、マイクロソフトがWindows10のダウンロードページで配布しているメディア作成ツールを利用してアップグレード作業を実行する。

Windows7→10

Windows10にアップグレードしたら「言語バー」がなくなった

Windows7 からWindows10 にアップグレードした際に戸惑うのが、「言語バー」が見当たらないこと。言語バーには、日本語とアルファベットの入力の切り替えや「IME パッド」の表示、ローマ字入力とかな入力の切り替えなど、入力に関する機能がバランスよくまとめられていて重宝していたユーザーも多いはずだ。

Windows10 の初期設定では、言語バーに搭載されていた入力に関する機能は、タスクバーにある IME アイコン（「あ」または「A」と表示されているアイコン）を右クリックすると表示されるショートカットメニューに用意されている。

それでも、言語バーの方が便利だと思う場合は、**言語バーを表示させることもできる。**言語バーを表示させるには、［スタート］ボタンをクリックし、スタートメニューで［設定（歯車の形のアイコン）］をクリックして、表示される画面で［デバイス］をクリックし、左のメニューで［入力］をクリックして、［キーボードの詳細設定］をクリックする。［キーボードの詳細設定］画面で［使用可能な場合にデスクトップ言語バーを使用する］をオンにし、［言語バーのオプション］をクリックして、［デスクトップ上でフロート表示する］を選択し［OK］をクリックする。

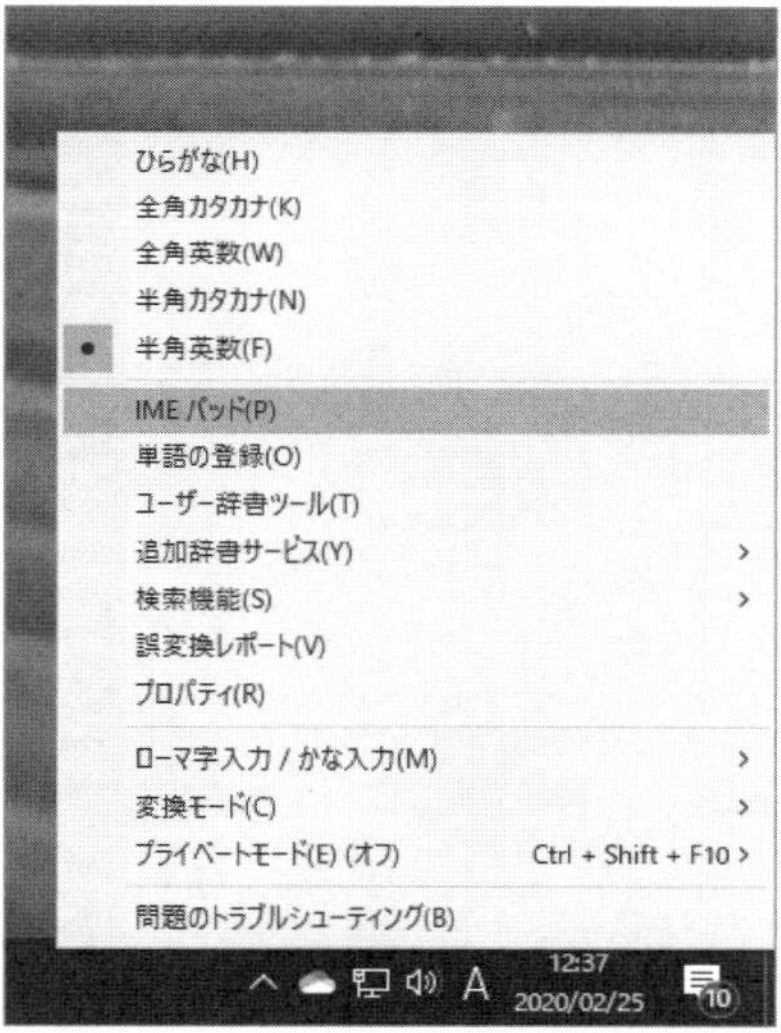

▲タスクバーにあるIMEアイコンに言語バーの機能が用意されている

Windows10の言語バー

Windows7→10

Windows10のコントロールパネルの表示方法がわからない

Windows10にアップグレードして困ることのひとつに、コントロールパネルを表示するための項目がスタートメニューに見当たらないことだ。Windows7であれば、［スタート］ボタンをクリックすると表示されるスタートメニューにコントロールパネルへのリンクが表示されているので、それをクリックしさえすればコントロールパネルが表示された。周辺機器の設定やアプリのアンインストールなど、パソコンの基本機能の設定画面として重要な役割を果たしてきただけに、途方に暮れるユーザーもいるのではないだろうか。

Windows10でも、もちろんコントロールパネルは用意されている。しかし、マイクロソフトは、これまでコントロールパネルが担ってきた役割を［Windowsの設定］画面にさせようとしているようだ。［Windowsの設定］画面は、スタートメニューの左下に表示されている**［設定（歯車の形のアイコン）］をクリックすると表示される画面で、Windowsの**

▲［Windowsの設定］画面。アイコンと項目名が併記されていてわかりやすいのが特徴

機能が14のカテゴリに分類され、まとめられている。わかりやすいようにアイコンと項目名が併記され、項目名や選択項目がコントロールパネルよりもわかりやすい言葉で表示されている。しかし、使い慣れているのでコントロールパネルを使いたいユーザーも多いことだろう。コントロールパネルは、［スタート］ボタンをクリックしてスタートメニューを表示し、アプリの一覧から［Windowsシステムツール］をクリックして、［コントロールパネル］をクリックすると表示できる。

　コントロールパネルを頻繁に利用する場合は、スタートメニューのアプリ一覧で［コントロールパネル］を右クリックし、［スタートにピン留めする］を選択してスタートメニューの右側にコントロールパネルのタイルを追加しよう。

Windows7→10

Windows10でアプリをすばやく検索するコツ

Windows10 のスタートメニューは、地の色が濃いグレーで右側にタイルが並んでいて、ひいき目にみてもわかりやすいとはいえない。また、アプリの一覧は、アイコンとアプリ名が併記なのはいいけれども、字が小さくて読みづらい。スクロールしながらアプリを探すのは、ちょっとした手間だ。

しかし、**Windows10 には、アプリを簡単な操作で起動させる機能が用意されている。** まずは「コルタナ」を利用してみよう。コルタナは、Windows の音声アシスタント機能で、マイクを通じて「コルタナさん」と話しかければ、さまざまなリクエストに応えてくれる。エクセルを起動させたいときは、「コルタナさん、エクセルを起動して」と話しかければいい。「コルタナさん」というのが恥ずかしければ、[Windows] キーを押しながら [C] キーを押せば、コルタナが起動するので続けて話しかければいい。なお、コルタナの初期設定がまだの場合は、タスクバーの検索ボックスをクリックするとコルタナが起動するので画面の指示に従って、呼んでもらいたい名前を指定するだけだ。

また、アプリの一覧には、頭文字を指定してアプリを絞り込む機能も用意されている。アプリを頭文字で絞り込むには、アプリの一覧で任意の頭文字のインデックスをクリックすると、頭文字の一覧が表示されるので、目的の頭文字をクリックする。

▲アプリの一覧でインデックスをクリックすると、下のように表示される

▲頭文字の一覧が表示されるので、目的の文字をクリックしてアプリを絞り込める

Windows7→10

Windows10でのアプリの削除方法

Windows7 から Windows10 に乗り換えた場合、アプリを削除する方法がわからないというユーザーが意外と多い。コントロールパネルの表示方法がわからないことがその大きな理由だろう。

Windows10 では、コントロールパネルを開かなくてもアプリを削除する方法が用意されている。 削除したいアプリが決まっている場合は、「スタート」ボタンをクリックしてスタートメニューを表示し、アプリの一覧で目

▲スタートメニューのアプリの一覧で、目的のアプリを右クリックし、[アンインストール]を選択する

的のアプリを右クリックすると表示されるショートカットメニューで［アンインストール］を選択する。

▲[スタート]ボタンを右クリックし[アプリと機能]を選択すると表示される画面では、アプリをアンインストールできる

また、［プログラムのアンインストールまたは変更］画面でアプリの一覧を見ながら削除するアプリを指定したい場合は、［スタート］ボタンを右クリックすると表示されるショートカットメニューで［アプリと機能］を選択し、表示される画面の［アプリと機能］の一覧で削除するアプリをクリックし、表示される［アンインストール］ボタンをクリック。

確認画面が表示されるので、［アンインストール］をクリックして、表示される画面の指示に従って削除を実行する。

USBの使い方

USBメモリの【安全な取り外し】はしなくてもいい？

USBメモリを抜くときには、タスクバーにある「ハードウェアの安全な取り外し」のアイコンをクリックし、「(USBメモリ名)の取り出し」を選択して、安全に取り外すことが推奨されている。これは、USBメモリへの書き込み速度が遅いためで、コピー完了の通知が表示された後でも、実際にはUSBメモリへの書き込みが実行されていることがある。そのため、USBメモリをいきなり抜くと、書き込み中のデータが破損してしまうというわけだ。

しかし、Windows10の1809以降のバージョンでは、「クイック取り外し」という機能が追加され、**USBメモリへの書き込**

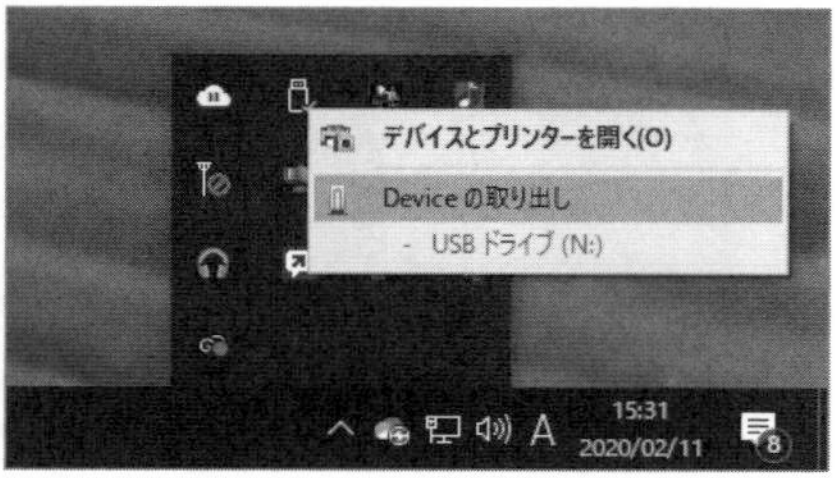

みが行われていなければ、いつでもUSBメモリを抜き取れるようになった。これは、USBメモリへの書き込み速度が上がったことと、USB3.0が普及したこと、USBメモリそのものの機能が上がったことから、［ハードウェアの安全な取り外し］の操作の省略が可能になった。

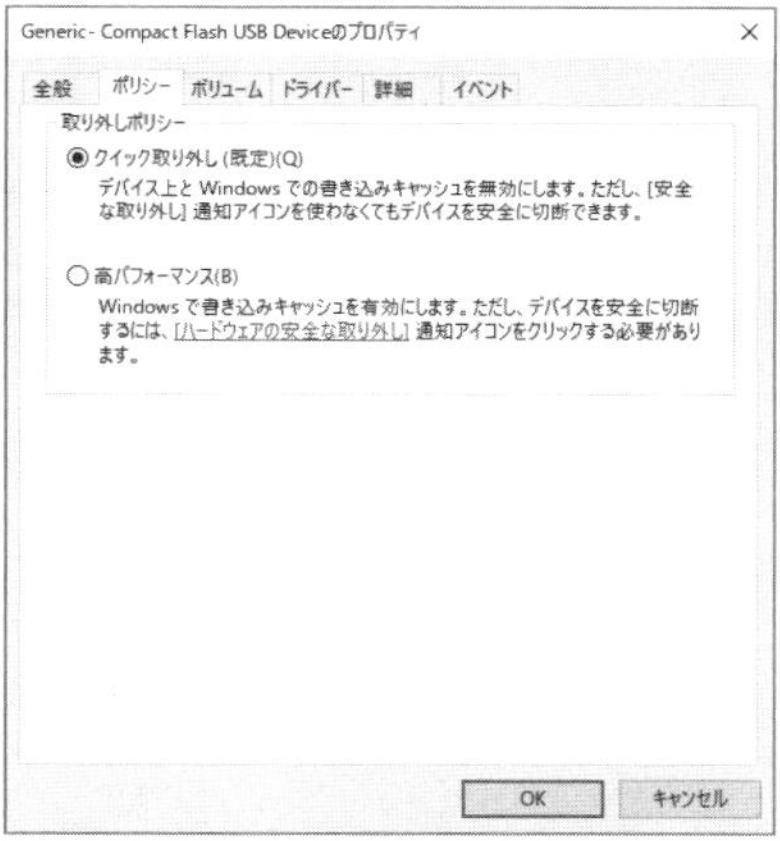

▲[クイック取り出し]の設定画面。Windows10のバージョン1809以降では、規程の設定となっている

なお、この機能を利用するには、Windows10のバージョンが1809以降にアップデートされている必要があるため、かならずWindows Updateを実行し、最新の状態に更新しよう。また、バージョン1809以降でも、タスクバーに［ハードウェアの安全な取り外し］のアイコンが用意されており、USBメモリの［ハードウェアの安全な取り外し］の操作を行える。

USBの使い方

あなたのUSBメモリが、ウイルスの感染源に？

コンピューターウイルスの感染源として最も注意が必要なのがメール、その次にインターネット、そしてUSBメモリだ。USBメモリがウイルスの媒体として狙われるのは、USBメモリには、パソコンに接続するとパソコンの「オートラン機能」（パソコンに認識され、自動的に起動する機能）に呼応して自動的にプログラムを実行する「autorun.inf」ファイルが組み込まれているためだ。**USBメモリをパソコンに接続するだけで自動的にウイルスのプログラムが実行され、ウイルスがパソコンに感染する。**

USBメモリからパソコンにウイルスが感染する経路は、次の通りだ。

他の人のパソコンから自分のUSBメモリにウイルスが感染する

パソコンにUSBメモリを接続すると、ウイルス自身をコピーするプログラムが起動し、

ＵＳＢメモリにウイルスと autorun.inf ファイルのコピーが作成される。

他の人のＵＳＢメモリから自分のパソコンにウイルスが感染する

ＵＳＢメモリをパソコンに挿入すると、オートラン機能が起動して、自動的にパソコンがウイルスに感染すると同時に不正な autorun.inf ファイルもパソコンにコピーされる。

ＵＳＢメモリを媒介にしたウイルス感染を食い止めるには、不特定多数のパソコンで使用したＵＳＢメモリをオフィスのパソコンで使用しないことだ。また、ウイルス対策機能付きのＵＳＢメモリを使用すると安心だ。

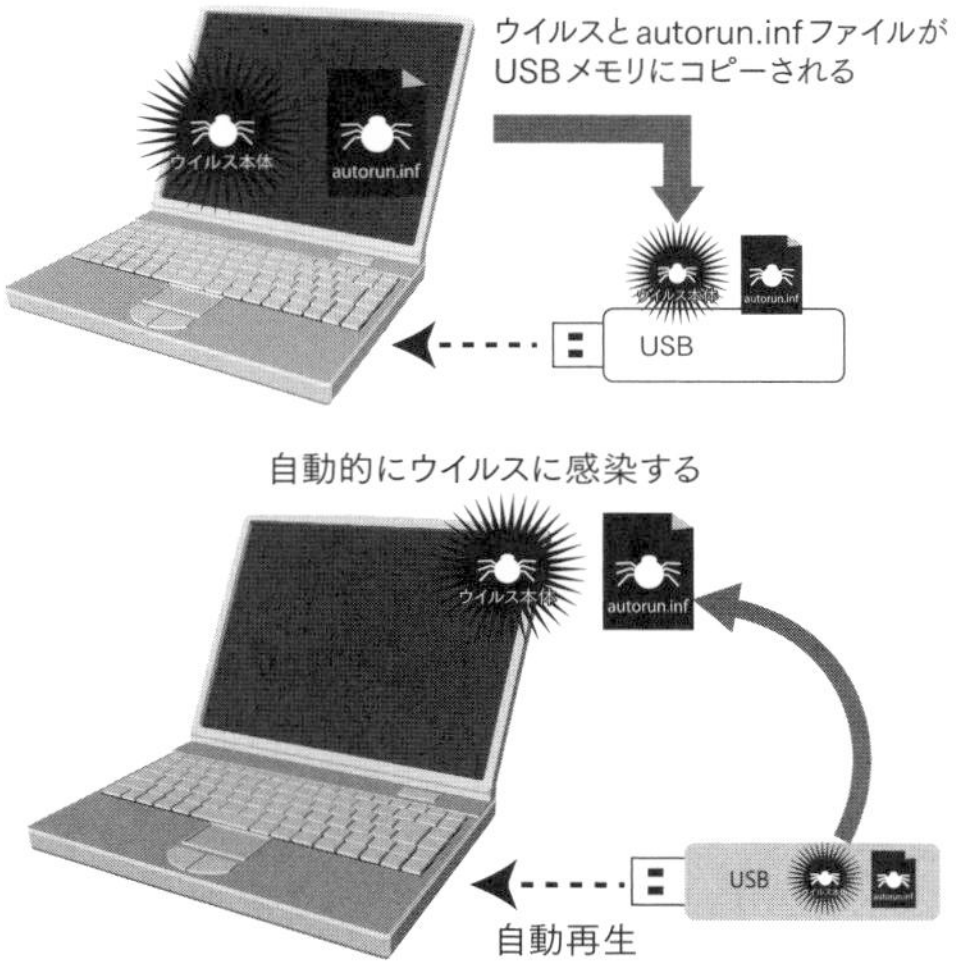

ウイルスとautorun.infファイルがUSBメモリにコピーされる
ウイルス本体
autorun.inf
USB
自動的にウイルスに感染する
自動再生

USBの使い方

公共のUSB充電ポートに潜む情報漏洩リスク

外国人観光客が急激に増えているが、それに伴って公共施設のサービスも多様化している。その中に、USB充電ポートの設置がある。電気の規格は世界各国で異なり、電圧やコンセントの形もまちまちだ。

外国からやってきた観光客が日本の規格に合ったコンセントを用意してきているとは限らず、スマホやパソコンの充電施設の充実が課題となっていた。

そこで白羽の矢が立ったのがUSBだ。USBは世界中で規格が統一されており、パソコンにもスマホにも搭載されている。USBケーブルも手に入れやすいことから、最近では空港や飛行機の座席、ホテルなど、USB充電ポートが設置された場所が増えてきている。

しかし、公共施設に設置されたＵＳＢ充電ポートを利用するのはおすすめしない。**公共のＵＳＢ充電ポートには、パソコンやスマホの情報を盗み取るマルウェアが仕込まれている可能性があるのだ。**

このように、公共施設に設置されたＵＳＢ充電ポートにマルウェアを仕込んで攻撃することを「**ジュースジャッキング攻撃**」という。

「Juice-Jack Defender」というジュースジャッキング攻撃をブロックできるＵＳＢコネクタを利用する方法もあるが、２０２０年3月現在、日本では広く販売されておらず、価格も2万円近くする。

公共のＵＳＢ充電ポートを使わないことが、ジュースジャッキング攻撃を防ぐ最も確実な方法だ。

Wi-Fiの使い方

ザッとわかる！「Wi-Fi」と「Bluetooth」

「Wi-Fiって何？」という質問を受けたとき、どう答えるだろう？

一般的にはインターネットに接続するための無線通信規格といった方がわかりやすい。携帯電話の電波と比べて**大容量のデータをやり取りでき、通信速度も速い。しかし、通信距離が短く、ルーター（電波を発信する機器）から数十メートルの範囲でしか利用できない。**

Wi-Fiには、周波数の帯域と通信速度によっていくつかバージョンがある（52ページの表参照）。現在、広く使われている最新のWi-Fiのバージョンは、「Wi-Fi 5(IEEE802.11ac)」で最大通信速度は6.9Gbpsだ。なお適切な速度で通信するには、Wi-Fiルーターとその電波を受けるパソコンの両方が、同じWi-Fiのバージョンに対応している必要がある。ルーターやパソコンを買い替える場合は、あらかじめWi-Fiの規格を確認しよう。
「Bluetooth」は、「ブルートゥース」と読み、通信距離が数メートルの近距離無線通信規格で、主にパソコンやスマホと周辺機器とのデータのやり取りに利用される。消費電力が少なく、1台のパソコンに1台のワイヤレスキーボードを接続するように、ペアリングして1対1で接続する。

Bluetoothにも、1.0～5.1までのバージョンがあり、バージョンによって性能が異なる。Bluetooth4.0以降であれば、互換性がありバージョンが異なっていても通信できるが、4.0以降と3.0以前のバージョンでは、うまく通信できないことがある。そのため、Bluetooth機器は、4.0以降を購入することをおすすめする。

また、通信距離によって種類が分かれ、100メートルの「Class1」、10メートルの「Class2」、1メートルの「Class3」の3種類があるので、スペック表で確認しよう。

▲Wi-Fiのロゴ

Wi-Fi バージョン	規格名称	策定年	周波数帯	最大 通信速度
Wi-Fi6	IEEE802.11ax	2020年（予定）	2.4GHz帯/5GHz帯	9.6Gbps
Wi-Fi5	IEEE802.11ac	2014年1月	5GHz帯	6.9Gbps
Wi-Fi4	IEEE802.11n	2009年9月	2.4GHz帯/5GHz帯	600Mbps

▲Bluetoothのロゴ

バージョン	性能
Bluetooth 3.0	データ転送速度が従来の8倍（最大24Mbps）/省電力化向上
Bluetooth 4.0	省電力性が向上。さまざまなプロファイルに対応
Bluetooth 4.1	自動再接続機能
Bluetooth 4.2	セキュリティ強化・高速化
Bluetooth 5.0	転送速度が4.0の2倍、通信距離が4倍

Wi-Fiの使い方

外出先でのフリーWi-Fiは危険？

駅や空港、カフェなど、無償で接続できるWi-Fiスポットが増えてきている。しかし、利用者のニーズを十分に満足させられるほど、供給が追いついていない。多くの場合、カフェなどで大勢の人が同時にWi-Fiに接続するため、電波の割り当てが行き届かず、通信速度が遅くなってしまう。また、ルーターからの距離によって、通信速度にムラができてしまい、お世辞にも快適な利用とはいえない状況だ。それでもWi-Fiのニーズは高く、フリーWi-Fiスポット（無償でWi-Fiに接続できる場所）に頼らざるを得ない。

そして、フリーWi-Fiスポットならではの危険もある。多くのWi-Fiネットワークでは、セキュリティのためにデータが暗号化されていて、パスワードを設定した端末にだけインターネットを利用できるしくみだ。しかし、フリーWi-Fiスポットの中には、パスワードを設定しなくても接続できる場所がある。**暗号化されていないWi-Fiネットワークを行き交**

うデータは、不正アクセスの格好の餌食だ。個人情報やクレジットカード情報などの情報漏洩を防ぎたいなら、絶対に暗号化されていないWi-Fiネットワークに接続しないことだ。

なお、暗号化されているWi-Fiネットワークは、接続可能なWi-Fiの一覧でカギのアイコンが表示されている。Wi-Fiに接続するためのパスワードは、メニューや掲示板などに記載されていることが多い。見当たらなければ係員に聞いてみよう。

▲安全なWi-Fiにはカギのアイコンが表示されている

ソフトウェア

「アルファベットが大文字に」「上書き入力になった」など、キーボードのトラブル5

パソコンを操作していて、突然文字が入力できなくなったり、テンキー（数字のキー）が使えなくなったりしたことはないだろうか？　パソコンのトラブルで、意外と多いのがキーボードのトラブルだ。多くの場合、原因は、何となく［Shift］キーや［Ctrl］キーに指を置いたまま次の操作をしてしまい、キーボードの設定を変更してしまったなどの操作ミスによるものが多い。キーボードのトラブルにどのようなものがあるかを知っておけば、あわてず対応することができる。

長くキーを押さなければ入力できない

キーを長く押し続けなければ入力できない、という現象が起こった場合、「フィルターキー機能」が有効になっている可能性がある。フィルターキーは、何らかの理由でキーをすばやく正確に押せない場合に、入力しやすくするために、キーを長押しして入力する機能だ。フィルターキーは、［Shift］キーを8秒以上押し、表示されるダイアログボックスで［はい］をクリックすると有効になる。フィルターキーを解除するには、スタートメニューで［設定（歯車のアイコン）］をクリックし、［簡単操作］→［キーボード］をクリックすると表示される画面で、［フィルターキー機能の使用］をオフにする。

テンキー（数字のキー）が打てなくなった

右側にテンキー（数字専用のキー）があるキーボードで、突然、テンキーのキーを押しても数字が入力できなくなったときは、テンキーの左上にある［NumLock］

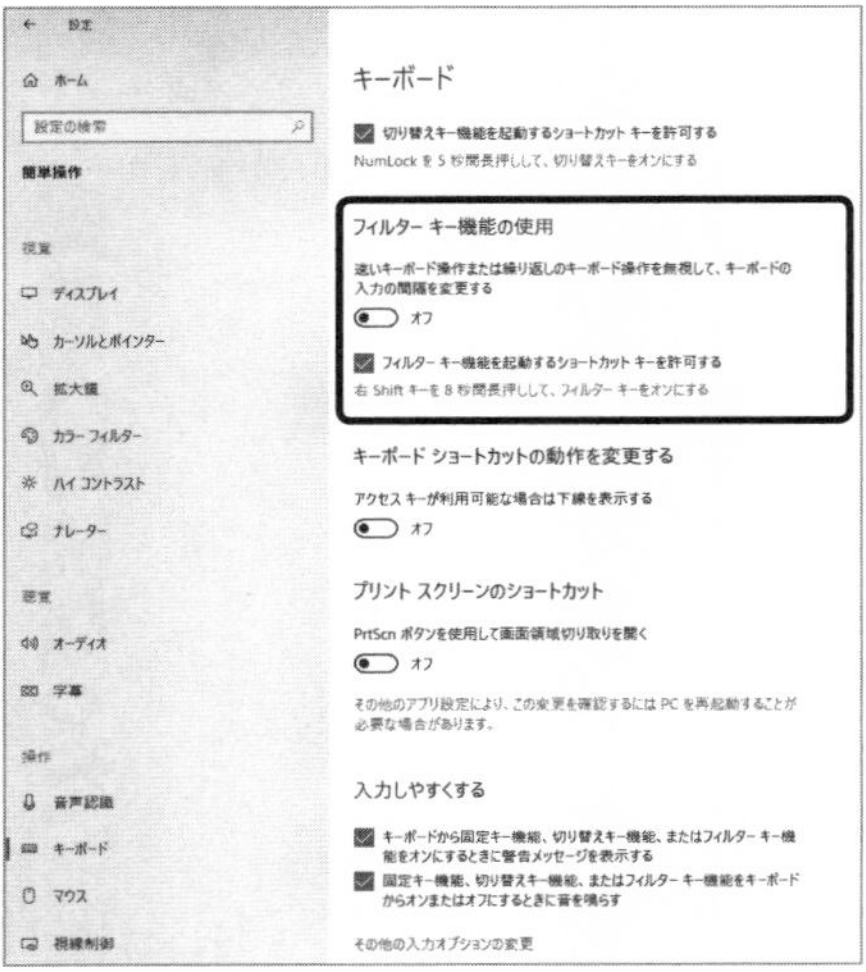

キーを押してみよう。NumLockが有効になり、数字が入力できるようになるはずだ。ちなみに、NumLockがオフになっている状態でテンキーを押すと、カーソルを移動できる。[8]キーを押すと上、[2]キーは下、[6]キーは右、[4]キーを押すと左に移動する。

修正すると元のテキストが上書きされる

修正しようとして文中の途中にカーソルを移動して入力すると、既存のテキストが入力した文字で上書きされてしまった……という現象は、入力のモードが挿入モードから上書きモードに切り替わってしまったために起こる。挿入モードと上書きモードを切り替えるには、キーボードの[Insert]キーを押せばいい。

アルファベットが大文字しか打てない

アルファベットを入力する際に、大文字しか打てない場合はCaps Lockが有効になっている。Caps Lockは、アルファベット入力の際に、大文字に固定する機能で、[Shift]キーと[Caps Lock]キーを同時に押して、有効／無効を切り替える。Caps Lockが有効になっている場合は、［Shift］と［Caps Lock］キーを押して無効に切り替えよう。

でたらめな文字が入力される

「あいうえお」と入力したくて、「a」「i」「u」「e」「o」キーを押したのに、「ちにないら」と入力される場合は、「ローマ字入力」から「かな入力」にモードが切り替わっている。

ローマ字入力とかな入力は、［Alt］キーを押しながら、［カタカナ ひらがな ローマ字］キーを押すと切り替えることができる。また、タスクバーでIMEのアイコン（「あ」または「A」と表示されているアイコン）を右クリックし、［ローマ字入力／かな入力］を選択し、表示されるメニューで目的の入力モードを選択する。

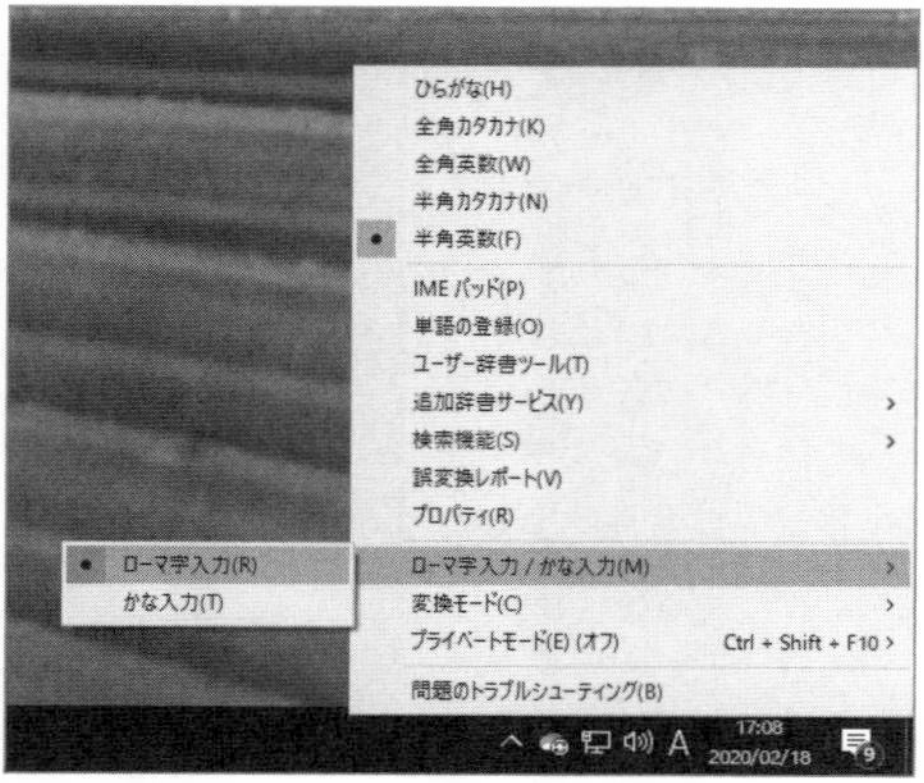

▲IMEのメニューでローマ字入力とかな入力を切り替えられる

ソフトウェア

ワード、エクセル、パワーポイントの自動保存機能に要注意

Office 365のエクセル、ワード、パワーポイントで「OneDrive」（マイクロソフトが運営するインターネット上の保存領域）にファイルを作成した場合、自動保存機能が有効になる。数秒おきに上書き保存が自動実行されるため、保存し忘れることがなくなり、安心して書類を作成できる。

しかし、自動保存機能が有効になっているために、起こるトラブルもある。**元のファイルを変更して別の書類を作成する場合、元のファイルを編集したものを後から別のファイルとして保存しようとしても、自動的に上書き保存されているため、編集後のファイルがふたつ出来てしまう。**先に元のファイルのコピーを作成し、コピーに対して変更を加えるようにしよう。

なお、編集前に戻したい場合は、タイトルバー（ファイルの最上部）でファイルをクリッ

クし、表示されるメニューで［バージョン履歴］をクリックすると、保存するたびに作成されるファイルの履歴一覧が表示されるので、目的の日時の［バージョンを開く］をクリックする。指定した日時のファイルが復元されるので、名前を付けて保存し直せばよい。

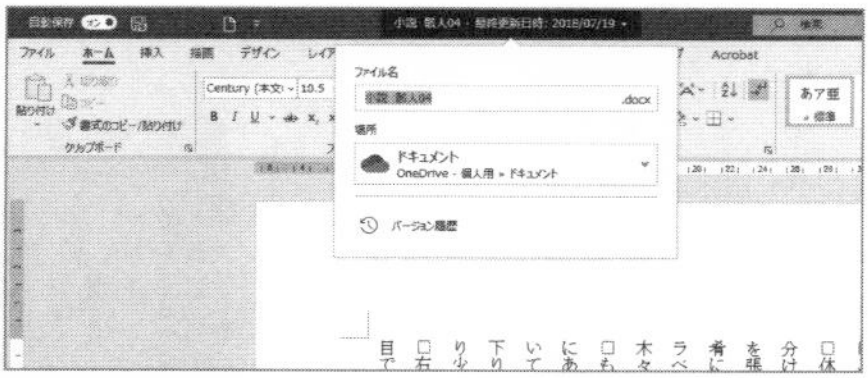

▲バージョン履歴を表示して

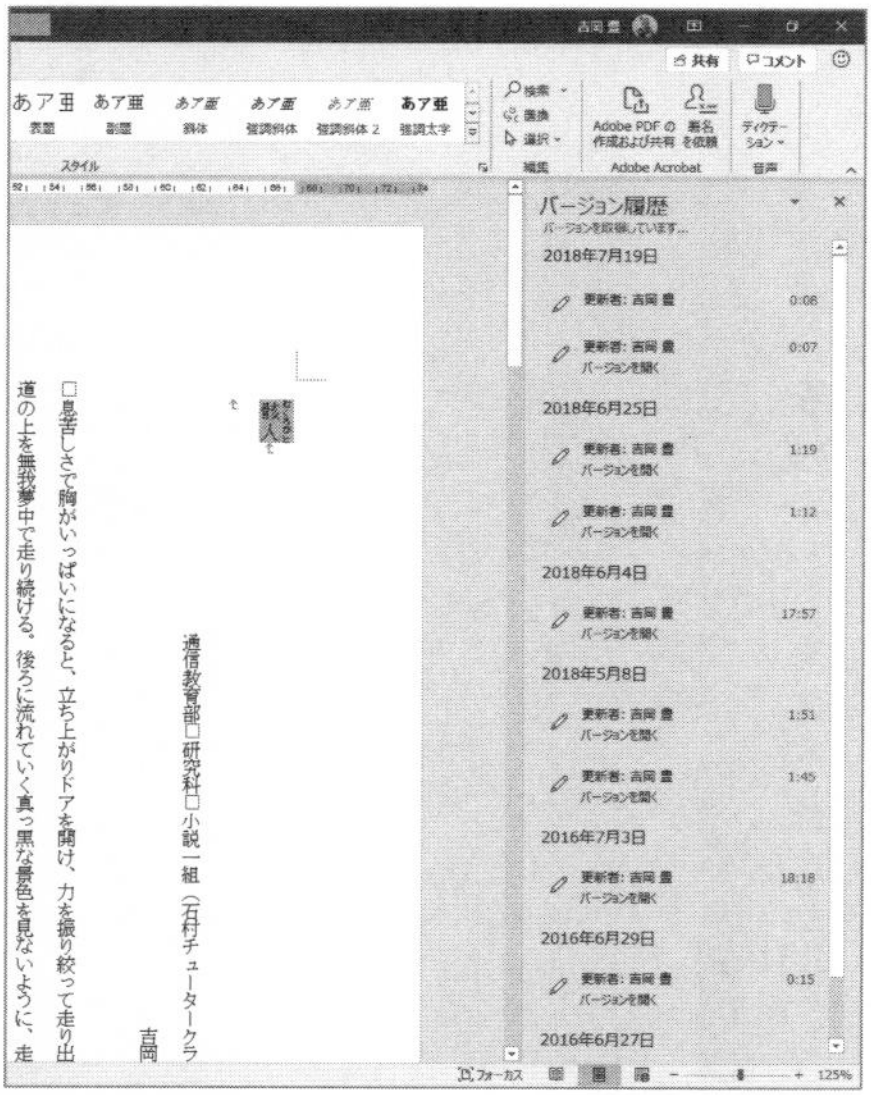

▲保存しそこなったバージョンを復元し、他の名前を付けて保存し直せばよい

ソフトウェア

エクセルで書類を作るのをおすすめできない理由

エクセルのセル（入力できる1枠のマスのこと）に入力すると、行のテキストの左端、右端を合わせやすいことから、表作成ツールとしてよりも、文書作成ツールとして利用するケースが多い。セルの幅と高さを同じに設定し、方眼を作成して、必要なフォーマットに合わせてセルを結合すると、自由に書類を作成できるのだ。

エクセルの方眼を利用すると、複雑なレイアウトの文書フォーマットも簡単に作成できる。方眼を細かくすれば、セルを結合する範囲でレイアウトのサイズを細かく指定でき、罫線を自由に引いて文書にメリハリをつけることも可能だ。文字揃えも分かりやすく、インデントや上／下揃えも簡単な操作で行える。エクセルの操作に慣れていれば、レイアウトの微調整もワードよりもずっと簡単なのだ。

しかし、エクセルの方眼で作成された書類は嫌われることが多い。**その理由のひとつは、**

印刷に弱いことが挙げられる。セルの幅や高さでレイアウトを整えている関係上、セル内いっぱいにテキストを入力すると、画面上ではきれいに収まっていても、印刷するとテキ

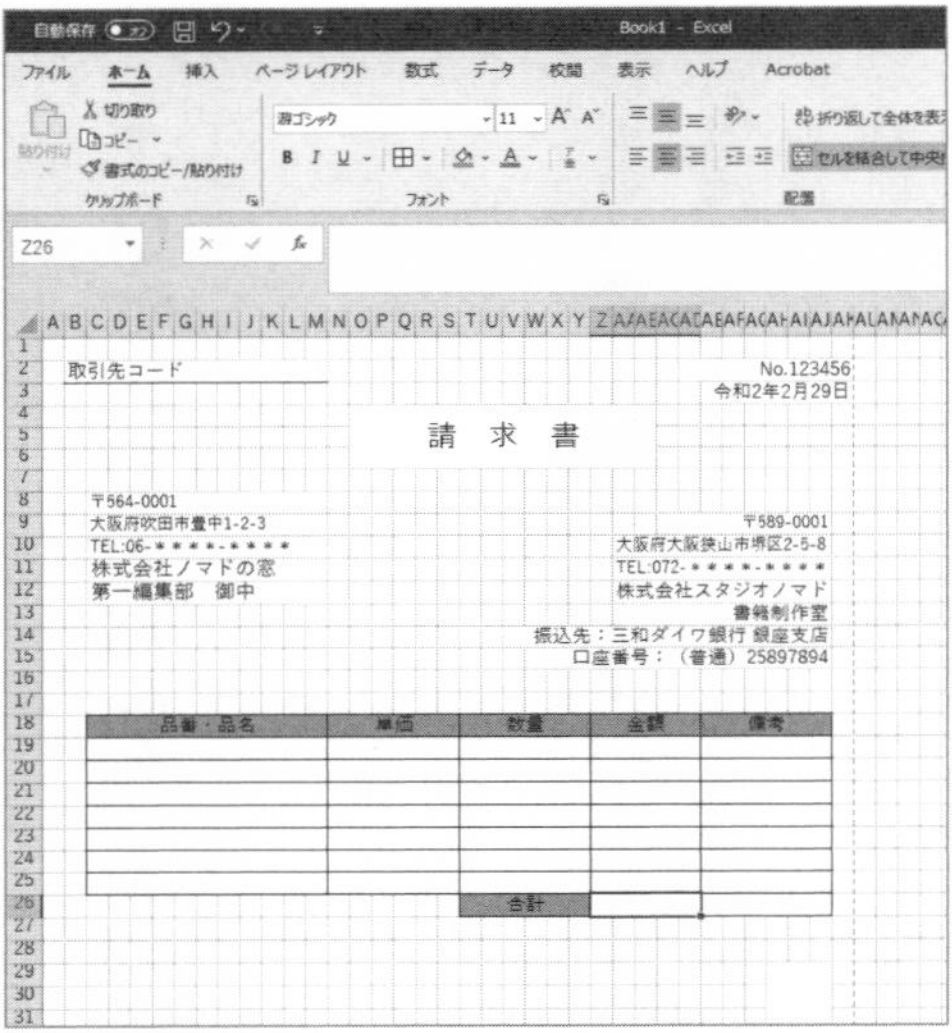

ストが切れてしまったり、不適切な位置で改行されたりすることがある。この場合、不用意にセル幅を調節すると、全体のバランスが崩れ、フォントのサイズで調節すると、他との違いが目立ってしまったりすることがある。そして、微調整しては印刷するという作業を繰り返すことになる。**個人的に文書を作成する方法としては〝あり〟かもしれないが、チームの書類のテンプレートとしては、メンバーに同レベルのエクセルスキルを望むことになるため不向きと言えるだろう。**

3章

身の回りにも迷惑をかける?

ネットの危ない使い方

ネットのマナー

「フォロー&リツイートで現金プレゼント」に潜むワナ

最近、ツイッターで「フォローして投稿をリツイートしてくれれば、現金を差し上げます!」というツイートが数多く見られる。投稿者をフォローし、そのツイートをリツイートするだけで、先着100名に100万円をプレゼントするといった内容だ。多くは数百万〜数千万円分の札束の写真が添えられ、詐欺ではないことを示そうとしている。

何の苦労もせずに100万円がもらえると思うと、応募するだけ損はないと思うだろうが、クリックしたい気持ちをグッとこらえてもらいたい。フォロワーとリツイートがほしいだけで、数百万円、数千万円という大金を本当にばら撒くことなどあるだろうか? あまりにも話がうますぎる。

「フォロー&リツイートで現金プレゼント」に応募した後に起こることが、3パターンある。**1つ目は、ポイントサービスに誘導し登録させることで、友達紹介のインセンティブを搾取することを目的としているパターン。2つ目は、フォロワーの多いアカウントは高額で売れるため、〝現金プレゼント企画〟でフォロワーを集めるパターン。3つ目は、情報商材販売の顧客リストを作成するために集客するパターンだ。**現金プレゼントに応募した途端、情報商材の広告がダイレクトメールにひっきりなしに届くようになったり、現金振り込みのための手数料をだまし取られたりするなど、実際に現金がもらえるケースはほとんどないようだ。

おいしい話には、必ず裏がある。「フォロー&リツイートで現金プレゼント」には、騙されないようにして欲しい。

▲現金プレゼントには、必ず裏があると疑ってかかろう

ネットのマナー

「いいね」や「フォロワー」、買ってでもほしい？

フェイスブックやインスタグラム、ツイッターは、世界中で広く普及し、もはやインフラといっても過言ではないほど生活やビジネスに大きな影響を及ぼしている。〝いいね〟や〝フォロワー〟の数を判断の基準にして商品や店を選ぶようになり、企業はその動きをマーケティングしている。

そして、フォロワーやいいねの数が多い投稿者は「インフルエンサー」と呼ばれ、彼らの投稿が商品の売上を左右したり、世論を動かしたりするほど影響力が大きい。

社会でSNSのいいねやフォロワーの数があまりに重視されるために、いいねやフォロワーを販売するサービスが暗躍している。インスタグラムの100いいねが580円、ツイッターのフォロワー500人が3500円など、気軽に購入できる金額だ。友だちにちょっと見栄を張りたい、店のセールが始まる前にちょっとフォロワーを増やしておきたいなど、さまざまな理由でこのサービスが利用される。

いいねやフォロワー販売サービスに申し込むと、急激にフォロワーやいいねの数が増え、注目が集まっているように見せかけることができる。しかし、実際には、架空のアカウントを使ったり、海外のユーザーのアカウントを乗っ取ったりして、いいねやフォロワーの水増しに利用している。間接的にアカウントの乗っ取りに加担していることになる上、いいねやフォロワーの水増しが判明した際には、アカウントは凍結され社会的に制裁を受けるリスクがある。

いいねやフォロワーの数は、魅力的な投稿を続けることで、地道に増やしていったほうが信頼につながるのではないだろうか。

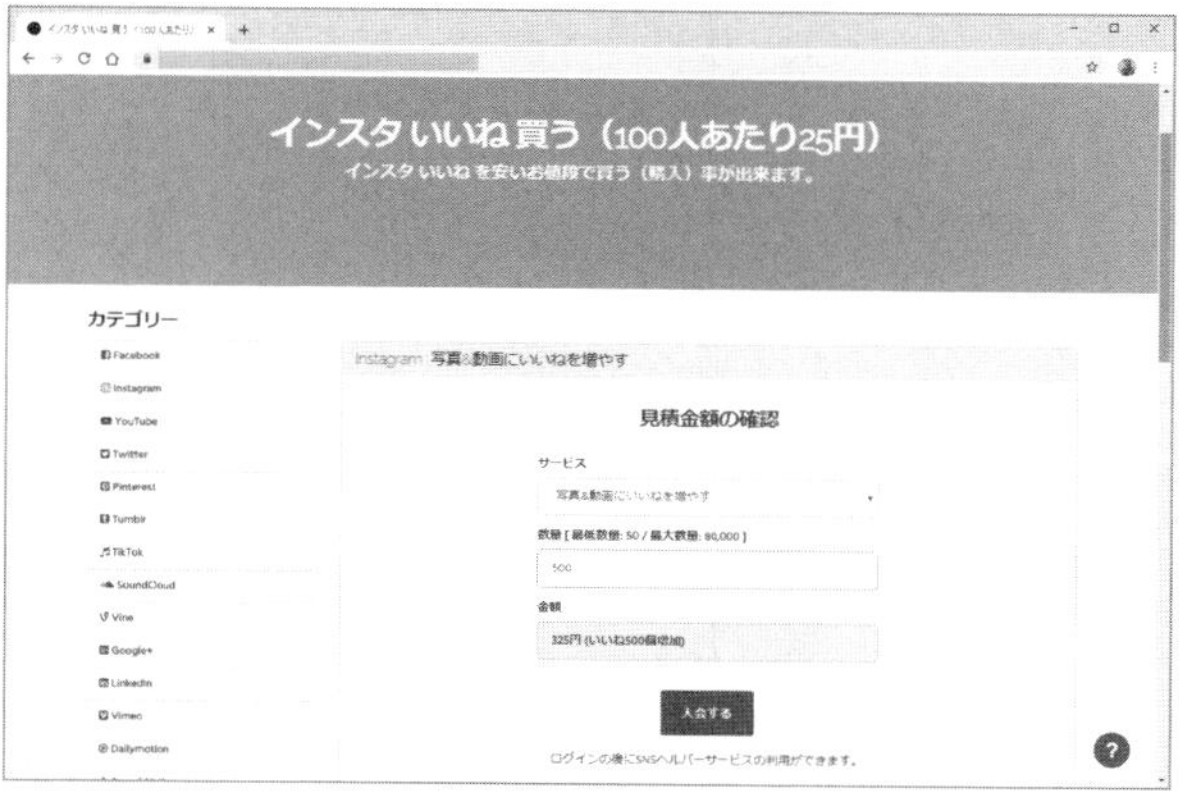

▲SNSのいいねやフォロワーの販売サイト

ネットのマナー

フェイスブックの「友だち申請」の思わぬトラブル

フェイスブックがツイッターやLINEなど、他のSNSと大きく異なる点は、実名を登録しなければならない点だ。実名で登録されているからこそ、相手を信用してコミュニケーションできたり、友だちと再会できたりする。家族やペットの記事を投稿できるのも、知った相手だからという安心があるからだ。

しかし、その半面、**知られたくない人に、近況を知られたり、フェイスブック上で関係がこじれて気まずくなったりすることもある。フェイスブックでは、相手のことを知っているからこそトラブルが起こるわけだ。**

上司からの友だち申請どうする?

「フェイスブックで会社の上司から友だち申請が届いたらどうする?」というアンケート

▲友達一覧で目的の友だちにある[友達]ボタンをクリックし、[他のリストに追加]→[制限]を選択するとその友だちを[制限]リストに追加できる

に、あなたならどのように答えるだろう。アンケートの結果では、「監視されているようで嫌だけど、断ると角が立つ」という意見が多く見られる。上司に見られていると思うと、友だちや同僚との会話でも言葉を選んでしまうだろうし、下手に今いる場所も投稿できない。上司側としては、親交を深めたいとか、共通の話題ができるといった動機なのだろうが、部下としては気を使うばかりだ。

　この場合は、友だち申請は承認しておいて、上司を［制限］リストに追加しよう。［制限］リストは、友だち申請は断りづらいが、自分の投稿は見られたくない相手のために用意された機能だ。［制限］リストに追加されたメンバーは、［公開］で投稿した記事は読めるが、公開範囲が［友達］に設定された記事は読めない。ただ、［制限］リストを使うと、上司にフェイスブックの投稿を読まれる心配はなくなるが、会社で同僚とフェイスブックの話題には触れづらくなるという副作用もある。

友だちを［制限］リストに追加するには、フェイスブックで自分の友だちリストを表示し、友だちの名前の右側にある［友達］をクリックし、［他のリストに追加］をクリックして、表示される一覧で［制限］を選択する。

知らない間に写真にタグ付けされている

フェイスブックに投稿された写真にマウスポインタを重ねると、写っている人の名前が表示されることがある。その名前をクリックすると、写真の人物のプロフィールページが表示される。

このように、写真に写っている人物の名前を登録し、プロフィールページにリンクさせることを「タグ付け」という。写真へのタグ付けは誰でも行えて、あなたの名前がタグ付けされた場合は、その写真があなたのタイムラインにも自動的に投稿される。

▲この機能をオンにすると、タグ付けされた写真をあなたのタイムラインに表示するかどうかを確認する画面が表示される

写真へのタグ付けは、写真を見ている人が写っている人の名前を確認できて便利だ。しかし、写真にあなたの名前がタグ付けされることで、意図せずあなたがどこで誰と何をしていたかを伝えることになってしまう。

勝手に名前を写真にタグ付けされないようにする方法はないが、タグ付けされた写真を自分のタイムラインに表示させない方法はある。フェイスブックの上部右側にある〝▼〟のアイコンをクリックし「設定」を選択。左側のメニューで「タイムラインとタグ付け」をクリックし、「確認」にある「タイムラインに表示される前に自分がタグ付けされた投稿を確認する」をクリックして、「オン」に切り替える。

ネットのマナー

たった1つのツイートで人生が狂うこともある？

2013年の流行語大賞の候補にもなった「バカッター」。ツイッターやインスタグラムなどのSNSで注目を集めるために、反社会的ないたずらや犯罪の動画をツイートする行為およびツイートする人のことだ。

2019年2月には、寿司チェーン店でアルバイト男性2人が、ゴミ箱に捨てた魚の切り身を調理台に戻すという動画をインスタグラムに投稿した。動画は3時間しか公開されていなかったが、あっという間に拡散され、「大炎上」することになった。この騒動の影響で、寿司チェーン店の株価は下落。動画の投稿に関わった男性3人が書類送検された。

バカッターは、わざわざ人目を引くいたずらや反社会的な行為をして見せるため、大きく取り上げられるが、**SNSではちょっとした投稿が炎上することもある。**

たとえば、会社や上司への愚痴やセクハラまがいの発言だ。会社の不正な事実をつぶやけば、〝告発〟として取り上げられ、正当性が認められることもあるが、個人名を挙げて口汚く批判すれば単なる〝悪口〟として受け取られることになる。

誹謗中傷や差別発言、パワハラ、セクハラ発言は、たった一言でも社会的地位や家庭を失いかねない。

ツイッターやインスタグラム、フェイスブックのアプリでは、投稿ボタンをタップすれば、確認画面もなくすぐに投稿されてしまう。冷静さを取り戻すタイミングがない。投稿を見た人がどう感じるか、ほんの少し想像力を働かせれば、踏みとどまれるはずだ。

そして、投稿者の多くは、インターネットのことがわかっていない。「自分の投稿なんて、フォロワーしか見ないだろう」という気持ちなのだろう。全世界に向けて公開されている意識がないのだ。いったん拡散が始まった投稿は、もう止められない。そして、勤務先や家族も見ることになる。衝動的につぶやきたくなっても、**投稿する前にちょっと冷静になって自分の投稿を読み返してもらいたい。それだけで、不適切な投稿は避けられる。**

ネットのマナー

メールの常套句、使い方間違ってない？

メールを返信する際に「わかりました」の意味としてよく使われる「了解しました」というフレーズ。実は目上の人に使うと失礼になってしまう場合がある。「了解」という熟語には尊敬のニュアンスが含まれておらず、「しました」も丁寧語だ。丁寧ではあるものの、敬意がこもっていないため、敬語の使い方としては正しくない。メールで**目上の人に「わかりました」と伝えたいときは、「承知いたしました」と書くようにしよう。**

同様に、目上の人に対して使うと失礼にあたるフレーズに「ご苦労様です」がある。これも目上の人が目下の人を労う言葉だ。上司に対してはもちろん、社外の目上の人に向かって「ご苦労様です」はご法度だ。**目上の人を労いたい場合は、「お疲れ様です」で問題ない。**

ただし、社外の人にメールの冒頭の「お世話になっております。○○の○○です」というあいさつの代わりに「お疲れ様です。〇〇の〇〇です」というのは失礼にあたる。

また、「殿」と「様」、「御中」の使い方を間違っている人がときどきいる。時代劇で地位が上の人や大名に向かって「殿」と呼びかけることから、「〇〇殿」は目上の人に対する敬称と思いがちだ。実は**「〇〇殿」は、目上の人から目下の人に呼びかける際に使う敬称だ。目上の人に対する敬称は「様」でいい。**

また、「営業部　第二営業課　御中　〇〇様」のように部署と個人の宛先の両方の敬称を付ける人がいるが、**個人宛の場合は「様」だけを、担当部署宛の場合は「御中」だけを付けて送信する。**「社長」、「部長」は、それ自体がすでに敬称だ。くれぐれも「社長様」、「部長様」とはしないように。

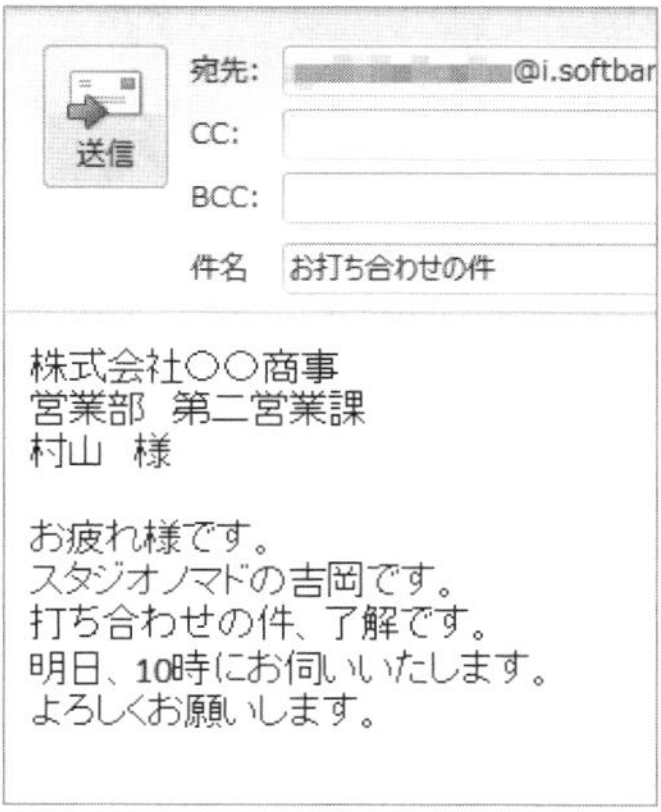
送信
宛先:
@i.softbar
CC:
BCC:
件名
お打ち合わせの件
株式会社〇〇商事
営業部　第二営業課
村山　様
お疲れ様です。
スタジオノマドの吉岡です。
打ち合わせの件、了解です。
明日、10時にお伺いいたします。
よろしくお願いします。
▲敬語は正しく使わないと逆効果になることもあるので注意しよう

ネットのマナー

Gmailの設定画面で必ず確認すべきこと

今や生活やビジネスで欠かせない存在となっている「Gmail」。初期設定が簡単で、いつでも、どこからでも送受信が可能。しかも、無料。「Googleカレンダー」や「Google Drive」（インターネット上にある保存領域）とも連携でき、スマホとの相性も抜群だ。

また、Gmailのアドレスは、GoogleアカウントのIDとしても使われ、サービスへのログインやショッピングの支払いの際にも活躍する。

これほどまでインターネット生活に深く根差しているがゆえに、Gmailは狙われやすい。**Googleアカウントを乗っ取ることができれば、不正購入やなりすましなどの不正行為が簡単に行える。**もちろん、Gmailにもしっかりしたセキュリティ機能が用意されているが、定期的に怪しい点がないか確認することも必要だ。

Gmailのセキュリティ対策

パスワードは長く、複雑なものがいい

不正アクセスは、専用アプリを使って文字のすべての組み合わせを試してIDとパスワードを解読し、侵入する場合が多い。そのため、IDやパスワードは、短いものと単純なものほど、簡単に解析されてしまう。Gmail のアドレスとログインパスワードは、Google アカウントのIDとパスワードを兼ねているため重要度が高い。アルファベットと数字を組み合わせた、できるだけ長く複雑なものを設定するようにしよう。

パスワードの使いまわしは厳禁

Gmail のアドレスは複数作成できるため、「捨てアド」（サービスのアカウントを作成するためだけに取得したアドレスのこと）として利用される。オンラインサービスごとに異なる Gmail アドレスを登録することで、迷惑メールの着信を分散したり、メインのメールアドレスが知られるのを防いだりすることができる。

ただし、複数の Gmail アカウントのパスワードに同じパスワードを使いまわすと、利用

中のオンラインサービスを簡単に乗っ取られてしまう可能性がある。複数のGmailアカウントを持っている場合でも、パスワードは必ず異なるものにしよう。

不用意なGoogleアカウントとの連携に注意

スマホのアプリによっては、グーグルのサービスとの連携が必要なものがある。例えば、「Pokemon Go」という大人気の位置情報ゲームアプリは、Googleアカウントを利用してログインする。もし、連携先が悪意を持っている場合、Googleアカウントの乗っ取りや情報の改ざんなどの危険がある

▲使わなくなったアプリとの連携も解除しておいた方が安心だ

ので、アプリのインストールは慎重に行いたい。

アプリとGoogleアカウントの連携を確認するには、ウェブブラウザのChromeを起動し、Googleアカウントにログインして、画面右上の3つの点のアイコンをクリックし、[設定]を選択。[ユーザー]にある[Googleアカウントの管理]をクリックし、ページの左側のメニューで[セキュリティ]をクリック。画面下部にある[アカウントにアクセスできるサードパーティアプリ]の[サードパーティによるアクセスを管理]をクリックする。Googleアカウントにアクセスできるアプリ一覧が表示されるので、不要なものをクリックし、[アクセス権を削除]をクリックすると連携を解除できる。

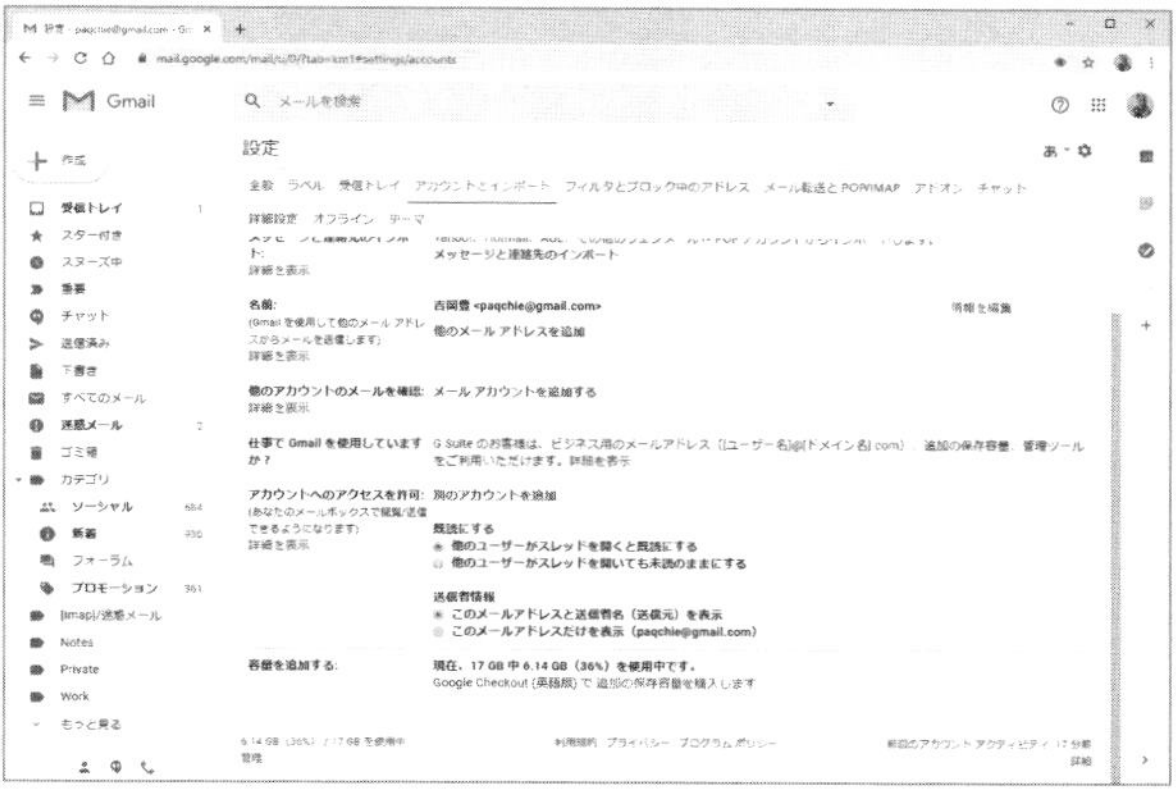

▲[アカウントとインポート]にある[アカウントへのアクセスを許可]で自分以外のアカウントが追加されていないか確認しよう

アカウントへのアクセス許可に異変はないか

Gmailに「新しい端末でのログイン」といった警告が送られてきたときは、まず、Gmailアカウントへのアクセス権に異変がないか確認しよう。Gmailアカウントへのアクセス権を確認するには、ウェブブラウザでGmailの画面を表示し、右上の歯車のアイコンをクリックして「設定」を選択。上部のメニューで「アカウントとインポート」を選択すると表示される画面で「アカウントへのアクセスを許可」に自分以外のアカウント名が記載されていないか確認する。

2段階認証を設定しておこう

Gmailを不正アクセスから守る最も堅いセキュリティは、2段階認証だ。2段階認証とは、ユーザーIDとパスワードの他に、セキュリティコードなどを入力して、ユーザー本

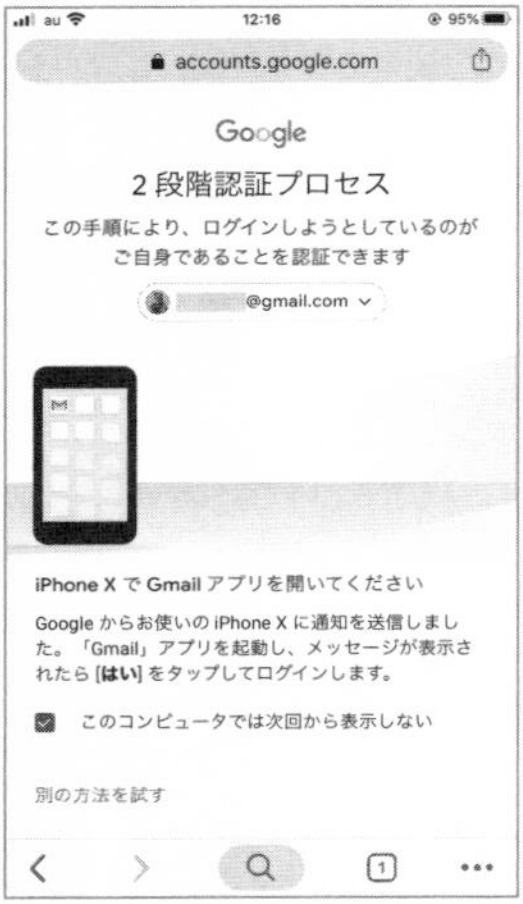

▲2段階認証を有効にすると、グーグルからのGmailによるメッセージや電話番号へのショートメッセージなどで本人確認を行える

人以外のログインを防止する機能のことだ。Googleアカウントへの2段階認証を設定した場合、グーグルからのGmailへのメッセージ、スマホの電話番号へのショートメール、専用アプリのセキュリティキーのいずれかで本人確認を取る。

Googleアカウントに2段階認証を設定するには、パソコンのウェブブラウザでGoogleアカウントにログインし、右上のアカウントのアイコンをクリックして、「Googleアカウントを管理」をクリックする。表示される画面の左にあるメニューで「セキュリティ」をクリックし、「Googleへのログイン」にある「2段階認証プロセス」をクリックして、表示される画面で「使ってみる」をクリックする。画面の指示に従って、アカウントにログインし、携帯電話の番号と認証コードの取得方法を指定する。

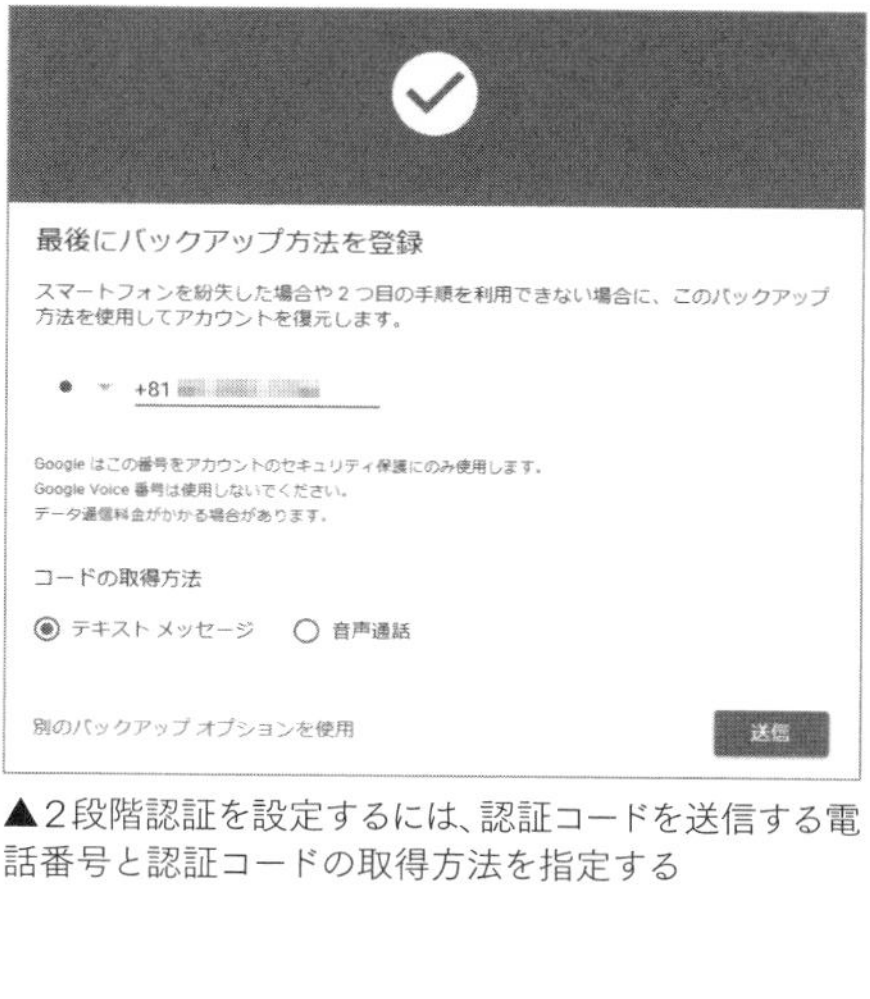
最後にバックアップ方法を登録
スマートフォンを紛失した場合や2つ目の手順を利用できない場合に、このバックアップ方法を使用してアカウントを復元します。
+81
Google はこの番号をアカウントのセキュリティ保護にのみ使用します。
Google Voice 番号は使用しないでください。
データ通信料金がかかる場合があります。
コードの取得方法
テキスト メッセージ
音声通話
別のバックアップ オプションを使用
送信

▲2段階認証を設定するには、認証コードを送信する電話番号と認証コードの取得方法を指定する

ネットのマナー

受信したメールが勝手に迷惑メールに入るのはなぜ？

来るはずの返信のメールがなかなか来ないので電話をしてみると、もうとっくに返信したという。恥ずかしい思いをした後、迷惑メールフォルダを開いてみると、返信メールが広告メールにまぎれていた……。こんな経験は、誰しも一度はしたことがあるだろう。

Gmailは、ビジネスにも広く利用されているために、迷惑メールの標的になりやすい。グーグルと迷惑メールとの長年の攻防の末、Gmailのセキュリティはかなり強固なものになっていて、ときどき必要なメールが迷惑メールとして分類されてしまうのだ。ビジネスにおいては、メールひとつが致命傷となることもあるため、解決しておきたい問題だ。

相手のメールアドレスを連絡先に追加する

必要なメールが迷惑メールに分類されてしまう原因のひとつに、相手のメールアドレスが連絡先のリストに載っていないということがある。この点は他のメールソフトでも同じだが、着信メールを振り分ける際に連絡先のリストを検索する。連絡先のリストをまめに更新しておくと、誤って迷惑メールボックスへ振り分けられることは減るだろう。

迷惑メールから除外するフィルタを作成する

迷惑メールではないドメインをフィルタに登録しておけば、ある程度の誤った振り分けに対処できる。フィルタを作成するには、Gmail画面上部にある［メールを検索］の右側にある〝▼〟をクリックし、［From］に登録したいドメイン（@を含めたメールアドレスの右半分）を入力して、［フィルタを作成］をクリックする。表示される画面で［迷惑メールにしない］をオンにして、［フィルタを作成］をクリックする。

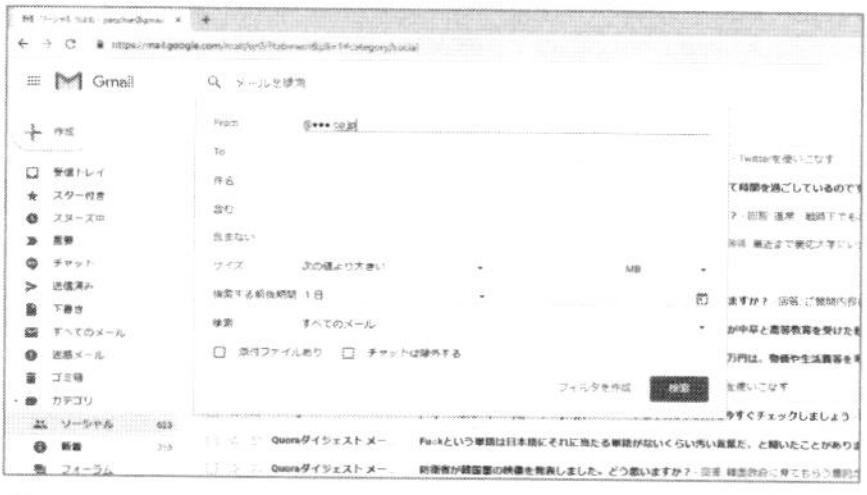
▲ドメインのフィルタへの登録は、検索ボックスを開けば簡単に行える

ネットのマナー

送ったメールが迷惑メール扱いされてしまうのはなぜ？

セミナーに申し込んだのに、いつまでたっても返事がない。思い切って電話をしてみると、迷惑メールとして処理されていたという……。このように送信したメールが迷惑メールと認識されると非常に困ってしまう。

このような場合は、どのようなメールが迷惑メールとして処理されるのか、その基準を確認しておいた方がいい。

迷惑メールとして分類されるメールには、「なりすましメール」、「フィッシング詐欺のメール」、「サーバーが迷惑メールとして認定したアドレスのメール」、「内容が空のメール」、「ブロックした相手からのメール」などがある。

これらのメールは次のような特徴や共通点があり、**書き方に注意をすれば、迷惑メールに振り分けられる回数も減らせるだろう。**

むやみにウェブサイトへのURLリンクを記載しない

自身のウェブサイトやフェイスブックページなどがある場合、署名欄にそれらのURLを書き込みがちだ。

しかし、このURLの掲載が、偽サイトへの誘導などと誤認されかねない。メールへのURLの記載は、最小限にとどめておいたほうがいい。

タイトルや本文は必ず書く

家族や友人にメールする際にやりがちだが、タイトルや本文を空欄にしたまま送信すると、迷惑メールと判定される可能性がある。

必ずタイトルと本文の両方を書いてから送信しよう。

テキスト形式で送信しよう

HTML形式のメールは文字を装飾できるなど見栄えは良くなるが、ウイルスなどを忍ばせられるため受信拒否にしている人も多い。

メールは基本的にテキスト形式で送信しよう。

添付ファイルは圧縮してから添付する

　エクセルファイルや画像ファイルをそのまま添付して送信すると、迷惑メールと判定される可能性がある。添付ファイルは、基本的にＺＩＰ形式で圧縮してから添付しよう。

　また、複数のファイルを送信したい場合は、ひとつのフォルダにまとめてから圧縮し、添付しよう。

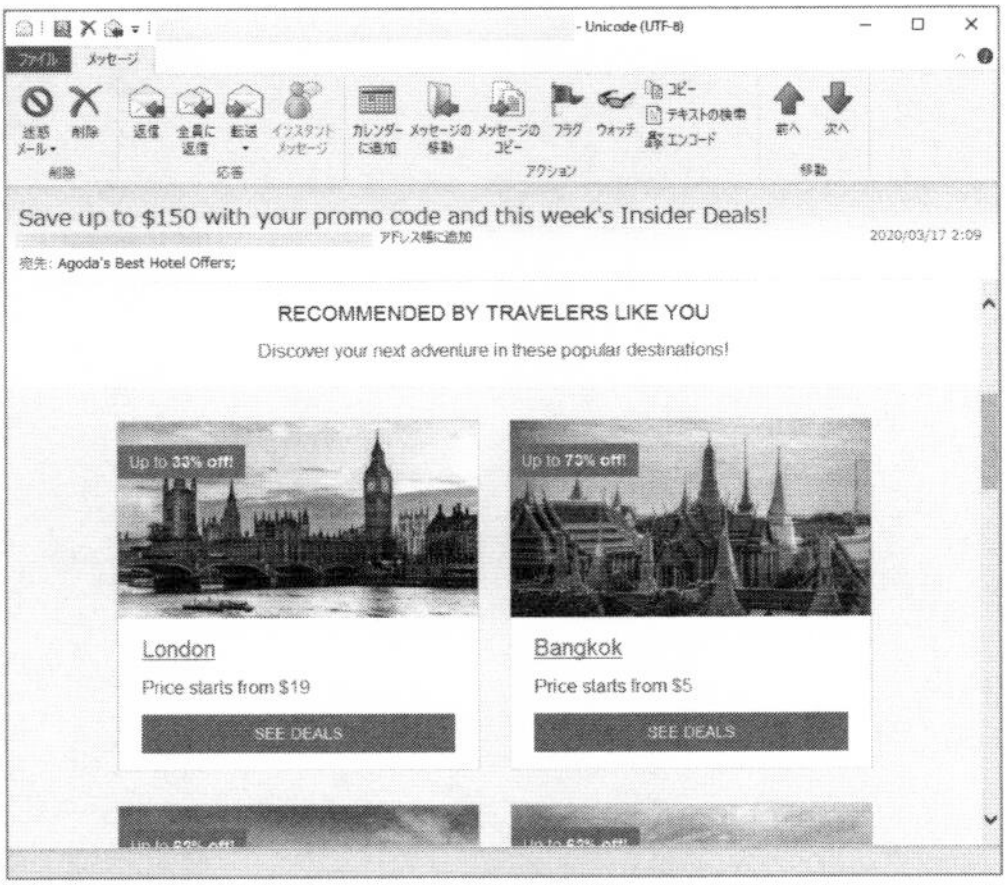

▲HTMLメールにはマルウェアを潜ませることができる

ネットのマナー

「テレワーク」「資料の持ち帰り」が招くリスクとは

会議の資料作成やプレゼンテーション、セミナーの勧誘など、さまざまな理由でオフィスからファイルを持ち帰り、自宅で作業をすることがあるだろう。しかし、オフィスからファイルを持ち帰ることが、多くのリスクを負っていることを知っておいた方が良い。

まず、厳密にいえば、オフィスのパソコンから自宅のパソコンにファイルをコピーすること自体、データの漏洩だ。多くの場合、自宅のパソコンにコピーしたファイルは、作業終了後も削除されずにいる。**自宅のパソコンは、オフィスに比べてセキュリティが弱い。自宅のパソコンが不正アクセスを受ければ、ユーザーに悪意はなくとも、企業機密が漏れ出てしまう**のだ。

次に、オフィスと自宅間のファイル転送手段を考えてみる。小さなサイズのファイルであればメールで送信するだろう。大きなサイズのファイルやフォルダの場合は、USBメ

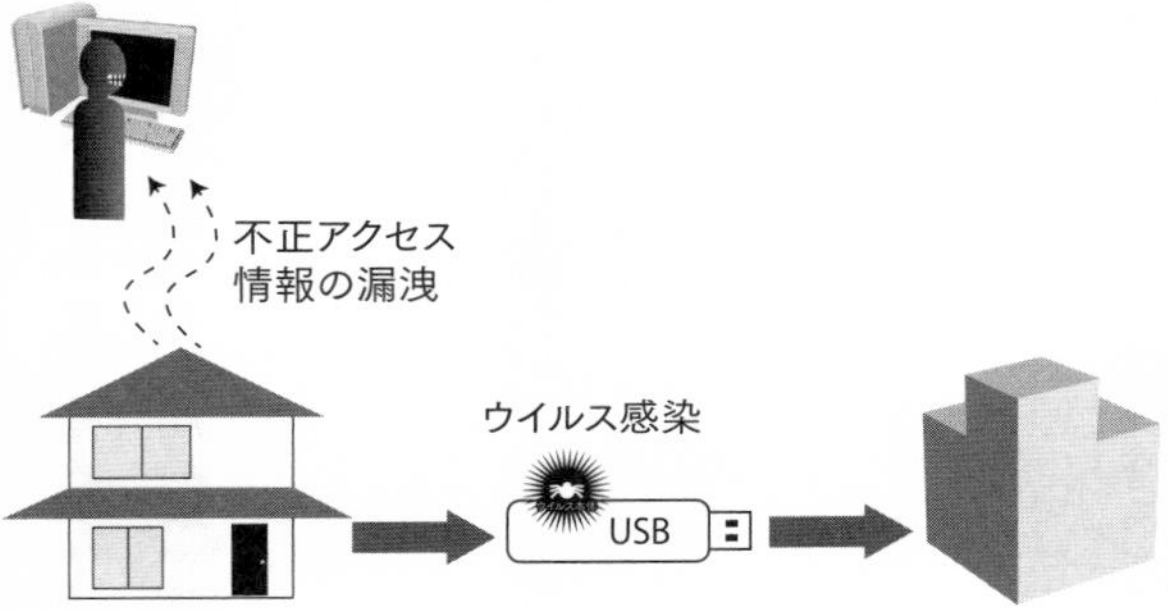

モリかファイル転送サービスを利用することになる。メールやUSBメモリは、コンピューターウイルスの媒介として常に上位にランクされている。自宅のパソコンに潜んでいるウイルスやマルウェアをオフィスのパソコンに感染させてしまうリスクがある。

また、ファイルの更新作業を忘れるというリスクもある。せっかく自宅でファイルの情報を更新しても、オフィスのファイルに反映させなければミスにつながることもあるだろう。さらに、ファイルを更新する前に、オフィスの古いファイルを他のユーザーが更新してしまうと、最新の情報を維持できなくなってしまう。

期日が迫っているなど、どうしてもファイルを自宅に持ち帰らなければならないこともある。その際には、このようなリスクがあることを覚えておこう。

ネットのマナー

ウェブや書籍の内容をコピーするのはあり？　なし？

企画書などで、事例としてウェブサイトや書籍などの文章／写真を利用することがあるだろう。公にする書類ではないからと、ウェブサイトの記事や写真の引用が気軽に行われているのが常態になっているのではないだろうか？　しかし、社内書類であろうと、**企業で出される書類はすべて営利目的となるため、その掲載のされ方によっては著作権侵害になりうることを忘れてはいけない。**仮に他人の著作物を書類に掲載した事実が漏れた場合、インターネット上で追及され、責任を問われることになる。

ただし、著作権法第32条により、「引用」という形を取れば書類に掲載できる。引用とは、他の人の文章や説、事例などを自分の文章中に引いて説明に用いることだ。ウェブサイトや書籍の内容を書類に引用するには、次の条件を満たす必要がある。

①公表された著作物であること：著者によって公表されたものを指すため、手紙やメール

は引用できない。

②引用部分は他の部分と区別する：引用部分は、「 」でくくったり、字下げしたりするなどして地の文と区別する。地の文との区別がつかない形での引用は、盗用となるので注意が必要。

③引用は説明のために掲載されること：引用はあくまでも補足的説明で、主な内容は自分のオリジナルの文章であることが求められる。

④出所が明記されていること：引用元の書籍名やウェブサイト名、ページ数など、出所を明記する。

⑤改変の禁止：引用される文章や画像などを改変することは禁じられている。改変すると著作権法に違反することになる。

社内文書まで調べられることはないと高《たか》をくくっていると、思わぬところに落とし穴がある。炎上の火消しにエネルギーを使うのは時間と労力の無駄だ。コンプライアンスの遵守を徹底して、安心して業務を進めるようにしたい。

ネットのマナー

見積書や請求書、契約書をエクセル、ワードのまま送ってはいけない

エクセルやワードで作成した請求書や見積書をメールで送信していないだろうか？

または、パワーポイントで作成したスライドファイルをホームページでそのまま配布していないだろうか？

ビジネス文書のオリジナルファイルを送信したり、配布したりすることは、そのまま金額や機密などの情報の漏洩や改ざんにつながる可能性がある。 悪意のある第三者がデータを盗み取ったり、金額を改ざんしたりするといったことが、いとも簡単にできてしまうのだ。オリジナルの請求書や契約書の金額やデータが書き換えられた場合、双方の信頼関係を揺るがす大きな問題となる。

ビジネス文書の悪用は、オリジナルのビジネス文書をＰＤＦ形式のファイルに保存し直すことで、ある程度は防ぐことができる。

PDF形式とは、アドビシステムズによって開発された電子文書のファイル形式で、OS（WindowsやMac OSといった基本ソフト）など環境の違いに左右されずに表示できるのが特徴。ワードやエクセルで作成された文書をPDF形式に保存し直すと、レイアウトを崩すことなくそのまま電子文書化され、基本的に再編集できなくなる。

また、PDFファイルには、パスワードを設定したり、印刷の可否を指定したりして、さらに高いセキュリティを設置することもできる。

エクセルやワード、パワーポイントのファイルをPDF形式のファイルとして保存するには、［ファイル］タブを選択すると表示される画面で、［Adobe PDFとして保存］をクリックして、表示される画面の指示に従って、保存範囲やファイル名、保存先を指定する。

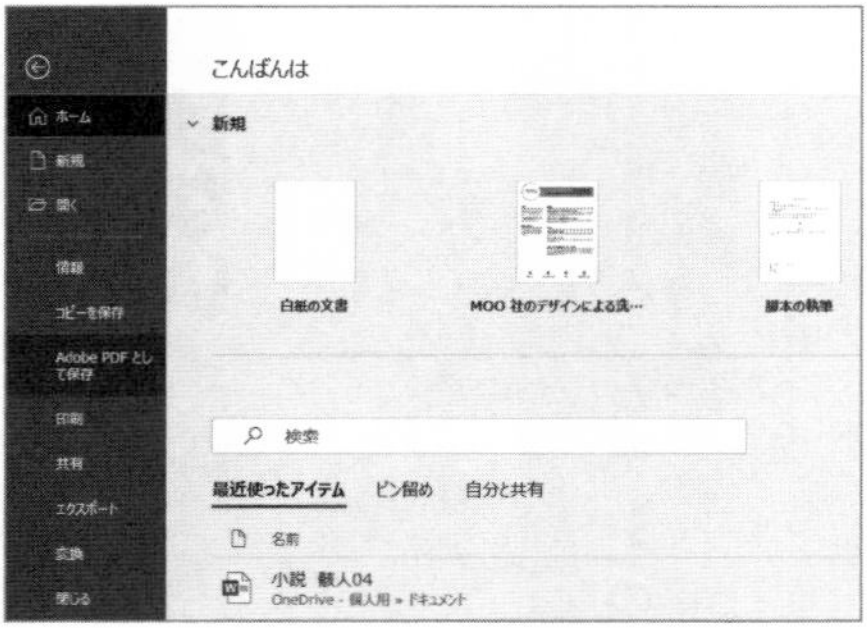

▲エクセルやワードには、［Adobe PDFとして保存］という機能が用意されていて、エクセルやワードのファイルをPDFとして保存できる

アカウントとパスワード

Googleアカウントにログインして起こるトラブル

あなたは、自宅とオフィスの両方で、ウェブブラウザにGoogle Chromeを使ってはいないだろうか？　そして、Google ChromeからGoogleアカウントにログインしてはいないだろうか？

Google ChromeでGoogleアカウントにログインしていると、自宅やオフィス、スマホのGoogle Chromeが同期され、常に同じブックマークやウェブサイトの閲覧履歴を利用できる。

また、Google Chromeを使って利用したSNSや会員制サービスのユーザーIDとパスワードも保存されて同期されていて、Googleアカウントにログインしておけば、サービスへのログイン画面にパスワードが自動入力させることもできる。

つまり、自宅のパソコンでも、オフィスのパソコンでも、スマホからでも、端末の違いを意識せずにさまざまなサービスを利用できるということだ。「サービスを利用する」という立場からすると、これほど便利なことはないため、ついついオフィスでもウェブブラウザにGoogle Chromeを選び、Googleアカウントにログインしたままにしてしまう。

しかし、それは裏を返せば、**すべての情報を常に持ち歩いているのと同じこと**だ。オフィスのパソコンで、Google Chromeを開いたまま少しだけ席を立ったとしよう。同僚や上司が何気なしにあなたのGoogle Chromeの閲覧履歴を見たとしたら、SNSへのログインを試みたとしたら……。考えるだけで恐ろしい。

オフィスにいるときは、せめてGoogleアカウントからログアウトしておくことをおすすめする。

▲Google ChromeでGoogleアカウントにログインするとアドレスバーの右に自分のアカウントのアイコンが表示される

アカウントとパスワード

パスワードの保存や自動ログインに潜むワナ

前の項目では、Google アカウントにログインした状態の Google Chrome を複数の端末で利用すると、さまざまなサービスのユーザーIDとパスワードを共有できる危険性について解説した。しかし、ユーザーIDとパスワードを保存する機能は、「Google Chrome」に限ったものではなく、アップルの「Safari」、マイクロソフトの「Edge」や Mozilla の「Firefox」など、大手のウェブブラウザには軒並み搭載されている。

つまり、Safari であれば Apple ID、Edge であれば Microsoft アカウント、Firefox であれば Firefox アカウントにログインした状態で、複数の端末で利用すると、さまざまなサービスのユーザーIDとパスワードを端末間で同期できる。しかも、収集されたユーザーIDとパスワードは、リストとしてまとめられ、ウェブブラウザ上で確認できてしまうのだ。

そのため、オフィスなど**不特定多数の人物がパソコンを操作できる環境では、ユーザー**

IDやパスワードを盗み取られる可能性が大いにある。また、ユーザーになりすましてSNSやオンラインショッピングなどのサービスを利用することも可能だ。そういう被害にあわないためにも、最低限、パスワードの自動入力はオフにしておこう。パスワードの保存もオフにしておくことが望ましい。パスワードの自動入力をオフにするには、次の手順に従うとよい。

Google Chrome

画面右上の自分のアカウントのアイコンをクリックし、ポップアップ画面でカギのマークのアイコンをクリックして、表示さ

Google Chromeのパスワード管理画面

▲収集されたユーザーIDとパスワードは、各ブラウザの[設定]画面にあるパスワード管理画面で確認できる

れる画面で［自動ログイン］をオフにする。

Edge

画面右上の3つの点のアイコンをクリックし、［設定］を選択して、［パスワード&オートフィル］をクリックし、表示される画面で［パスワードを保存する］のスライダーをオフにする。

Firefox

画面右上の3本線のアイコンをクリックし、［オプション］を選択して［プライバシーとセキュリティ］をクリックし、表示される画面で［ログイン情報とパスワードを自動入力する］をオフにする。

役に立つけど時に危険な「Cookie」のしくみ

前の項目では、SNSやオンラインショップなどのユーザーIDとパスワードが複数の端末で同期される危険について解説した。この項目では、ユーザーIDとパスワードがどのように保存されるのか、そのしくみについて少し踏み込んで説明する。

ウェブブラウザでウェブサイトにログインすると、ウェブサイト側からユーザー設定が記録された「Cookie（クッキー）」と呼ばれる小さなファイルが発行され、パソコンやスマホに保存される。**Cookieには、ユーザーIDやパスワードなどが記録されていて、ウェブサイトへログインするための通行証明書のような役割を果たしている。**そのため、2度目以降のアクセス時には、いちいちパスワードを打ち込む必要がない。また、オンラインショップでは、Cookieでカートの記録を残せるため、ショッピングを途中でやめても翌日に続けられるなど、インターネットの利用にCookieは欠かせない存在となっている。

便利な反面、危険な側面も

一方、Cookieはユーザー IDやパスワード、クレジットカード情報などを保持しているため、その盗用や情報漏洩の危険がある。職場やネットカフェなどのパソコンでは、SNSやネットショップ、ネットバンキングを利用しないようにしよう。Cookieが残っていると、ウェブサイトを表示するだけでログインできるため、アカウント主になりすまして、不正送金や不正購入、個人情報の盗用などの不正行為に悪用される可能性がある。もし、公共のパソコンを利用する必要がある場合は、忘れずにCookieを削除しよう。

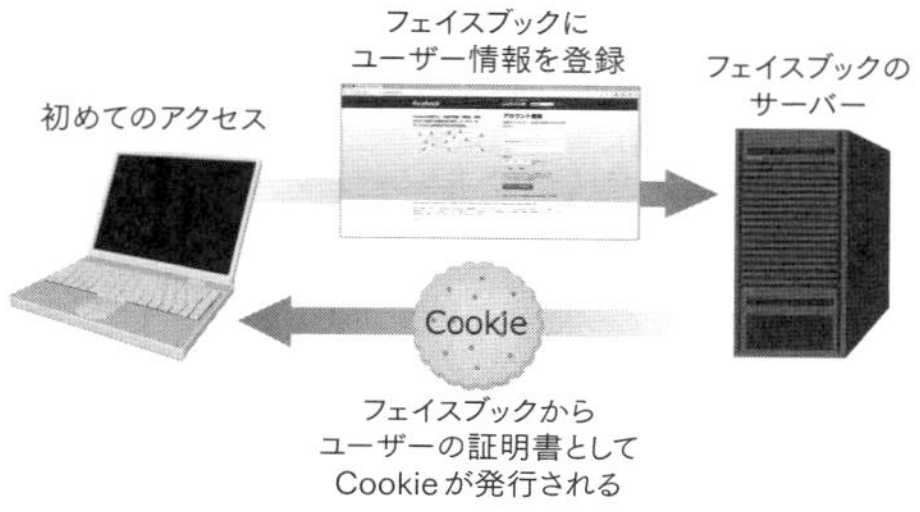
初めてのアクセス
フェイスブックに
ユーザー情報を登録
フェイスブックの
サーバー
Cookie
フェイスブックから
ユーザーの証明書として
Cookieが発行される

▲Cookieはユーザー登録やログイン時に発行され、パソコンやスマホ上に保存される

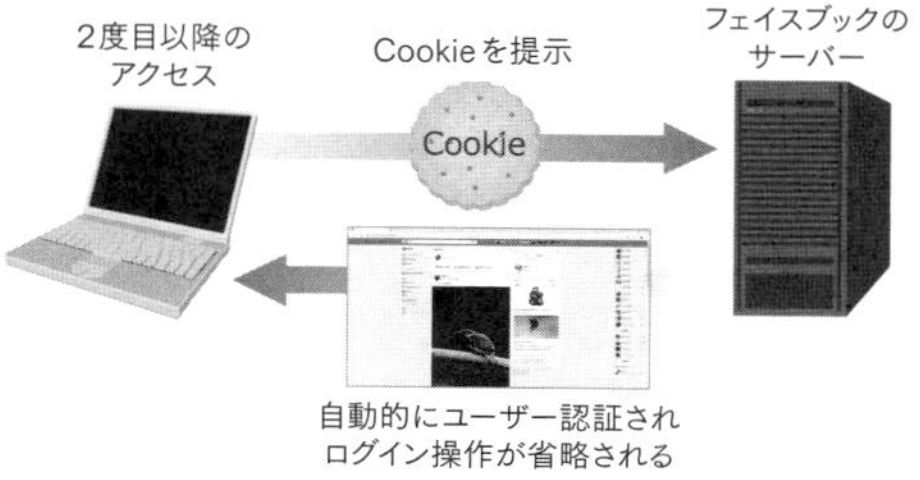
2度目以降の
アクセス
Cookieを提示
Cookie
フェイスブックの
サーバー
自動的にユーザー認証され
ログイン操作が省略される

▲再びウェブサイトにアクセスする際には、Cookieが身分証明書となりログイン操作は省略される

サードパーティCookieにご用心

ミラーレス一眼レフを買おうと思って関連情報サイトにアクセスしたら、それとは関係がないサイトにアクセスしてもミラーレス一眼レフの広告が表示されるようになった……。

これは、バナー広告の広告運営会社が発行する「サードパーティCookie」の仕業だ。「追跡Cookie」とも呼ばれ、ユーザーが表示したウェブサイトの情報を収集し、ユーザーの興味があるものを広告に表示させることができる。サードパーティCookieは、悪いものではないが、ユーザーのアクションを追跡しながら嗜好《しこう》や端末情報など多くの情報を収集している。気になる人はサードパーティCookieの設定を無効にしよう。

Cookieを削除する方法

パソコンのChromeの場合

画面右上端にある3つの点のアイコンをクリックし、［設定］を選択すると表示される［設定］画面で、最下部にある［詳細設定］をクリックする。［プライバシーとセキュリティ］の最下部にある［閲覧履歴データを消去する］をクリックし、［基本］タブを選択して、［Cookieと他のサイトデータ］をオンにし、［データを消去］をクリックする。

iPhoneのSafariの場合

ホーム画面で［設定］アイコンをタップし、［設定］画面で［Safari］をタップして、［履歴とウェブサイトデータを消去］をタップ。表示されるメニューで［履歴とデータを消去］をタップする。

Androidスマホの［ブラウザ］アプリの場合

［ブラウザ］アプリを起動し、右上端の3つの点のアイコンをタップして、［設定］をタップ。［プライバシーとセキュリティ］をタップして、［Cookieをすべて削除］をタップし、表示される画面で［OK］をタップする。

アカウントとパスワード

ずさんなパスワード管理は災いを招く！

久しぶりにビジネスニュースサイトにアクセスしようとしたら、パスワードの入力を求められた。自動ログインに慣れてしまっていて、パスワードはうろ覚えだ。思いついたパスワードを試してみるが、エラーが返ってくる。仕方なくパスワードをリセットし、面倒な手続きを経てようやくログインできた……。

誰しもこんな経験が一度や二度はあるだろう。インターネットの利用頻度が上がるほど、利用するサービスの数が増えていき、サービスごとにユーザーIDとパスワードが必要になる。

ユーザーIDとパスワードの使いまわしは危険だけれど、サイトごとに別のパスワードにして覚えておくのも大変だ。パスワードの管理が、インターネットの利用で最も重要で、面倒な作業のひとつといえる。

パスワードは推測しやすい文字列にしない

「0123456」や「aaaaaaa」など、連番や特定の文字の繰り返しをパスワードに設定していないだろうか？　犯罪者は、パスワードを解析するためのアプリを使って、何万通りという組み合わせの解析を一瞬にして終わらせる。単純な文字の組み合わせほど簡単に解析できてしまうのだ。

　また、個人情報の一部を使ったり、辞書にある単語を使ったりするのも危険だ。

　パスワードは、８文字以上でアルファベットの大文字と小文字、数字、記号を組み合わせたものが比較的安全だ。

▲[次回から自動的にログイン]をオンにすると、自動ログインできるようになる代わりに、不正アクセスなどのリスクも高くなる

自動ログインは便利だがリスクが高い

オンラインモールにSNS、動画配信サービスなどの利用に、アカウントへの自動ログイン機能はもはや必須といっていい。しかし、自動ログイン機能には、オンラインサービスにアクセスできれば誰でもログインできてしまうリスクがあることを忘れてはいけない。

オフィスや学校、インターネットカフェなど、公共のパソコンでオンラインサービスにログインしないように気をつけたい。また、パスワードは、定期的に変更したほうが良いだろう。

パスワードの使いまわしは危険！

利用しているオンラインサービスが多いユーザーほど、同じユーザーIDとパスワードを使いまわしている傾向にある。パスワードを使いまわせば、サービスごとにパスワードを覚えておく必要もないし、管理も楽だ。しかし、いったん、ユーザーIDとパスワードが盗まれてしまうと、同じユーザーIDとパスワードで管理しているすべてのサービスが危険にさらされる。

なりすましによる不正購入や不正送金、個人情報の詐取など、さまざまなインターネット犯罪に巻き込まれる可能性があるのだ。パスワードは、サービスごとに異なるものを設定し、定期的に変更することが望ましい。

あなたに合ったパスワードの管理方法を見つけよう

①紙のメモ帳に書き写して管理する

メリット：インターネットから情報が漏洩することはなく、人に見られる可能性が低い。費用もかからない。

デメリット：紙が破れたり、インクがにじんだりして情報が破損する可能性がある。また、メモ帳をなくしてしまうと、すべての情報が一度に失われる。ログインのたびに入力する必要があり、入力ミスする可能性もある。

②エクセルで管理する

メリット：ファイルにパスワードを設置したり、暗号化したりして、セキュリティを強化できる。パスワードとユーザーIDを分けて管理するなど、ユーザーが工夫して管理できる。ログイン時にコピー&ペーストで入力できる。

デメリット：ファイルを破損、紛失する恐れがある。ファイルが盗まれる可能性がある。

③パスワード管理アプリを利用する

メリット：効率よくユーザーIDとパスワードを管理できる。クレジットカード情報やネットバンキングの情報も管理できる。セキュリティがしっかりしている。

デメリット：有料の場合が多い。サービスそのものがなくなった場合に備えてバックアップが必要だ。

4章

プロがみたら危険で心配?

やってはいけない使い方

ハードのトラブル

動作中にぶつけてしまったら、パソコンの中はどうなる？

動作中のパソコンに衝撃を与えてはいけないことは知っているが、衝撃を与えると何が起こるのか知っている人は少ない。

特にノートパソコンは、カバンに入れて外出先に持っていくことも多いため、衝撃を与えないように注意したい。たとえ10センチメートルほどの高さからであったとしても、コンクリートの床ならかなりの衝撃になる。

それによって外装が剥げたり、ＵＳＢなどのコネクタや電源部分が凹んだり、ＤＶＤドライブのカバーが割れたりする。そして、最も被害が甚大なのは、ハードディスクが破損することだ。

ハードディスクでは、「磁気ヘッド」で「プラッター」と呼ばれる磁気ディスクにデータを書き込んだり、読み取ったりしている。磁気ヘッドは、データを読み書きする際、プラッターからわずかに浮いた状態で動作するため、振動や衝撃があると、データをうまく書き込めなかったり、読み取れなかったりする。

最悪の場合は、プラッター表面を傷つけてしまい、Windowsを起動できなくなったり、ハードディスクが作動しなかったりすることもある。

パソコンに衝撃が加わって、普段とは違う音(例えばカリカリ、ガリガリなど)がする場合は、すぐに電源を落とし、販売店にみてもらおう。

やみくもに繰り返し再起動すると、ハードディスクに負荷がかかってしまい、データ復旧の可能性を下げてしまいかねない。

▲HDDは、見た目以上に繊細なツール。衝撃や振動は避けたい

ハードのトラブル

HDDとSSDの違いを言えますか？

「HDD」とは、「Hard Disk Drive（ハードディスクドライブ）」の略で、データを磁気ディスクに保存する記憶装置のことだ。一般的に「ハードディスク」と呼ばれ、デスクトップパソコン用の3.5インチとノートパソコン用の2.5インチのサイズがある。また、「内蔵用HDD」と「外付けHDD」があり、数TB《テラバイト》ものデータを保存できるが、衝撃に弱く、「SSD」に比べると書き込み／読み取り速度が遅いのが特徴だ。電力消費量も大きく、容量単価が安い。パソコンのデータの保存に磁気ディスクを採用していることから、熱に弱い上に、経年劣化は避けられず、慎重に取り扱う必要がある。

「SSD」とは、「Solid State Drive」の一般名で、フラッシュメモリにデータを保存する記憶装置のことだ。HDDに比べて容量は小さい割に高額だが、データの読み出し、書き込みが高速で、衝撃に強く、動作音がしないという特徴がある。

そのため、256GBのSSDを「Cドライブ」、2TBのHDDを「Dドライブ」の2つを搭載し使い分けられている。Cドライブは、OSやソフトウェア、ユーティリティ（補助的な機能を持つ便利なアプリ）などを保存し、Dドライブは、「ドキュメント」や「ピクチャ」といったユーザーファイルを保存する。

▲バッファロー内蔵HDD「HD-ID2.0TS」

▲バッファロー内蔵SSD「SSD-N128S/M」

ハードのトラブル

「パソコンが起動しない」「ファイルを開けない」トラブルのなぜ

突然ファイルの読み書きができなくなったり、パソコンが起動しなくなったりした場合、ハードディスクの異常が考えられるが、**ハードディスクのトラブルには、「物理障害」と「論理障害」の2種類がある。**対処法が違うので、あわてずに起こった現象や画面表示、思い当たる原因などを整理しよう。

物理障害とは、文字通り振動や衝撃、水没、経年劣化など物理的な原因でハードディスクが故障することだ。パソコンから異音や異臭がしたり、発熱があったりするときは、物理障害の可能性がある。また、ハードディスクのフォーマットを要求するメッセージが表示されたり、BIOS（起動時のOSの読み込みや基本的な出力の制御を行うプログラム）が認識されなかったり、Windowsが起動しなかったりするなどの症状が表れる。物理障害の場合は、パーツが破損している可能性もあるため、専門業者に任せるのが安心だ。

論理障害とは、ハードディスク内のファイルシステムが破損して、データを読み込めない状態を指す。論理障害は、大量のデータをコピー・移動したり、必要なファイルを削除してしまったりするなど、操作ミスによって起こることが多い。Windows Update中に電源を落とした、ウイルスに感染したといった原因で論理障害を起こすこともある。論理障害では、パソコンが起動しなかったり、起動時にWindowsのロゴの画面で止まってしまったり、勝手にチェックディスク（ハードディスクなどに問題がないか検査するためのツール）が実行されたりするなどの症状が表れる。なお、論理障害は、ハードディスクそのものが破損したわけではないため、ハードディスクをフォーマットし、再インストールすると元の状態に戻すことができる。データ復元ソフトを利用してデータを復元させる方法もあるが、物理障害と論理障害の見分けが難しいため、専門家に依頼した方が無難だ。

トラブルに備えてデータをバックアップしよう

ハードのトラブル

パソコンがフリーズする理由とその対処法

パソコンの画面が固まって、キーを叩こうが、マウスを動かそうがまったく反応しなくなると絶望的な気分になる。作業中のファイルはいつ上書き保存しただろうか？　会話が途中のチャットはどうなっているだろう？　そんな心配ばかりが頭の中で渦巻きながら、パソコンの電源ボタンを長押しする。……ちょっと待ってほしい。

フリーズ（パソコンの画面が固まること）には、画面だけが固まってマウスとキーボードは操作できる状態と、マウスもキーボードも動かせない状態の2つがある。

マウスとキーボードを操作できる場合は、アクセスランプ（円筒形のマークがあるオレンジ色のランプ）を確認してみよう。頻繁に点滅しているなら、処理に時間がかかっているだけの可能性があるため、しばらく待ってみよう。

それでも状態が変わらない場合は、キーボードで［Ctrl］＋［Alt］＋［Delete］を同時に押し、表示される画面で［タスクマネージャー］をクリックして開こう。上部で［プロセス］タブを選択して、［アプリ］の一覧で［反応なし］と表示されているアプリを選択して、右下の［タスク終了］をクリックすれば、固まっているアプリを終了できる。そして、できれば、ここでパソコンの電源をいったん落とし、パソコンを冷やしてから起動し直そう。

パソコンがフリーズして、マウスもキーボードも操作できない場合も、まず、アクセスランプを確認してみよう。ランプが点滅している場合は、処理中なのでしばらく待とう。それでもフリーズから復帰できないときは、パソコンの電源を落として強制的に終了するしかない。パソコンの電源を強制的に落とすには、電源ボタンを長押しするか、コンセントを引き抜けばいい。

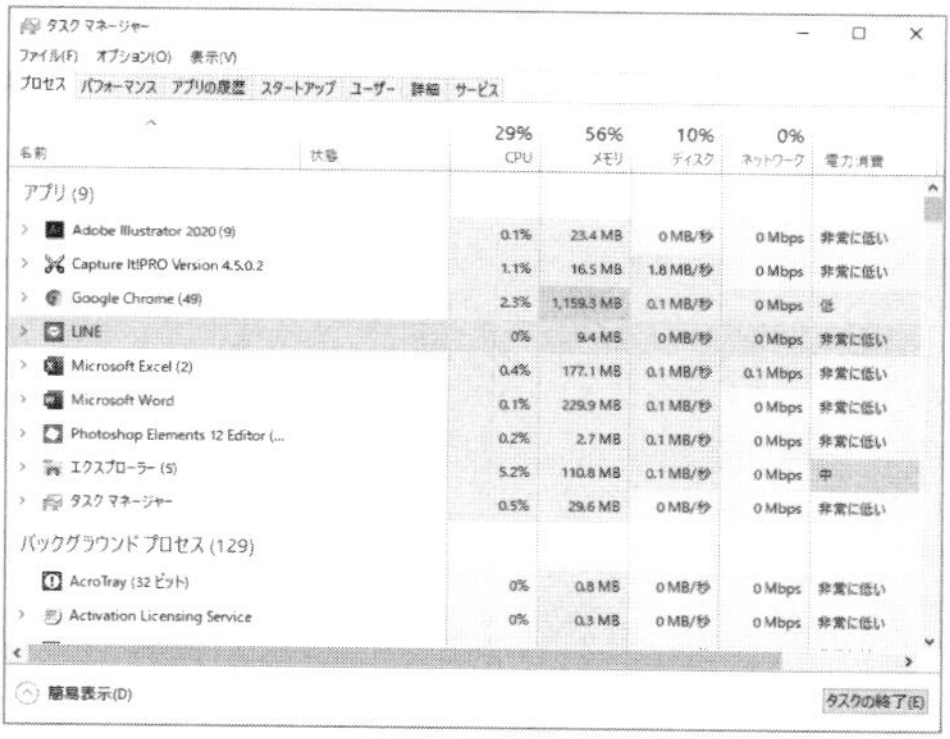

▲アプリの画面が固まったらタスクマネージャーを表示して、［反応なし］と表示されたアプリを終了しよう

パソコンがフリーズする原因にはいくつかあり、多くの場合はそれらが複合的に影響し合っている。それらをひとつずつ解消することで、パソコンの状態が驚くほど良くなるため、ぜひともメンテナンスしてもらいたい。

原因その1〈熱暴走〉

「熱暴走」とは、パソコン内部の温度が上がりすぎ、「CPU」（計算処理をするパソコンの頭脳）や「メモリ」（CPUの処理結果を一時的にプールしておく領域）、ハードディスクが正常に機能できなくなることだ。パソコンが熱暴走を起こすと、CPUが自動的に処理を停止し、メモリに一時保存されたデータが失われてファイルが壊れることもある。パソコンの熱暴走を防ぐには、パソコンのファンや内部に溜まったホコリをこまめに掃除することだ。それだけで、フリーズの発生をかなり減らせる。

原因その2〈メモリ不足〉

「メモリ」は、データがファイルに書き込まれるまで一時的にデータを保存しておけるチップだ。メモリの容量が大きいほど、複数のアプリを同時に処理でき、作業効率を上げることができる。しかし、メモリの容量が足りないと作業効率が落ち、処理待ちが発生することになって、画面が固まるという現象が起こるのだ。

メモリ不足を解決するにはメモリを増設するしかないが、メモリを増設するとパソコンのパフォーマンスが劇的に改善される。なお、パソコンの機種ごとに、設置できるメモリの枚数や容量、種類が決まっているため、あらかじめ確認する必要がある。

原因その3〈ハードディスクの経年劣化〉

パソコン本体から、「カリカリカリカリ」や「ブーン」、「カチカチカチ」といった異音が聞こえてきたら、ハードディスクの劣化を疑った方が良い。ハードディスクは、毎日数時間使用した場合、3～4年で寿命を迎えるとされている。経年劣化したハードディスクは、故障しやすく、熱暴走にも弱くなっている。早めにデータのバックアップを作成し、ハードディスクを新しいものに交換した方がいい。

ソフトのトラブル

「動作が遅い」ときは、不用なアプリをオフに

パソコンの動作が遅くなる、その主な理由のひとつに複数のアプリの同時実行がある。音楽を聴きながら、ＬＩＮＥを起動させメッセージを待ちつつ、Chromeでキーワード検索し、ワードで資料を作成する……、というように、**複数のアプリを実行させると、無駄にメモリを消費してしまいパソコンの動作に影響を与えてしまう。**

また、ウェブブラウザのタブをたくさん開いていると、それだけでメモリを消費する。使っていないアプリは終了し、見ていないウェブブラウザのタブは閉じてしまおう。

アプリをそれほど起動していないのに、パソコンの動作が重い場合は、パソコン起動時に起動するアプリが多い可能性がある。

特に「OneDrive」や「Googleドライブ」、「iCloud」など、クラウド（詳細↓１５２ペー

▲[スタートアップ]画面で不要なスタートアップアプリをオフにしよう

ジ）を利用している場合は、定期的に処理を実行し、メモリをかなり消費する。

また、アプリを最新の状態にするアップデーターなどがバックグラウンドで実行されている可能性がある。この場合は、Windowsの起動時に起動するアプリを減らしてみよう。

Windows起動時に起動するアプリを減らすには、[スタート]ボタンをクリックし、[設定（歯車の形のアイコン）]をクリックして、[アプリ]をクリックすると表示される画面で[スタートアップ]をクリックする。Windows起動時に起動されるアプリの一覧が表示されるので、不要なものをオフにする。

ソフトのトラブル

消してはいけないファイルがある？

Cドライブの［Windows］フォルダや［Program Files］フォルダには、Windowsやアプリを制御するためのファイルが数多く保存されている。また、［ユーザー］フォルダにある［AppData］フォルダには、アプリごとのユーザー固有の設定やアップデートプログラムが格納されている。このようなファイルやフォルダを**やみくもに移動したり削除したりすると、パソコンが起動できなくなったり、アプリが正しく動かなくなったりすることがある。**

また、アプリをアンインストールする際に、「その他のアプリケーションにて登録されていませんが、使用及び動作に影響する可能性はあります」といったメッセージが表示されることがある。これは、アプリに含まれるファイルを削除すると、他のアプリに影響する可能性を警告している。判断しかねる場合は、［いいえ］をクリックして、ファイルを削除しないように気をつけよう。

不要なファイルを削除して、ハードディスクの空き容量を増やしたいときは、ディスククリーンアップを利用しよう。［スタート］ボタンをクリックし、アプリの一覧から［Windows 管理ツール］を選択し、［ディスククリーンアップ］をクリックすると起動する。不要なファイルをチェックして、［ＯＫ］をクリックするとファイルが削除される。

　また、不要なシステムファイルを削除したいときは、［システムファイルのクリーンアップ］をクリックし、表示される画面で不要なファイルをチェックして、［ＯＫ］をクリックする。

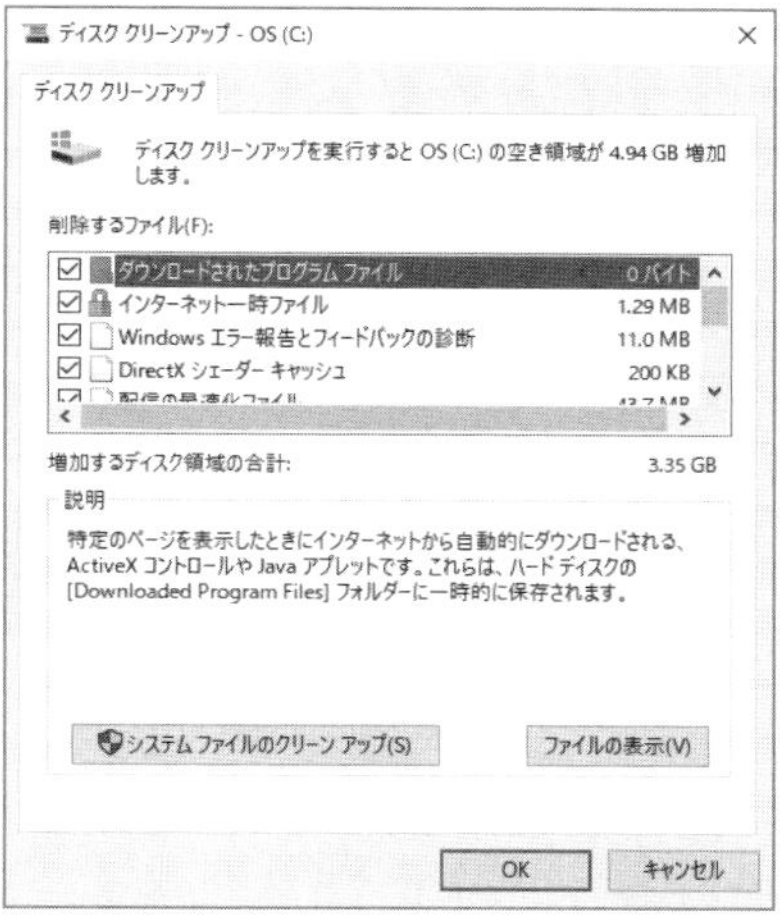

▲不要なファイルはディスククリーンアップを使って削除すると安全だ

ソフトのトラブル

そのフリーソフト、インストールして大丈夫？

パソコンに詳しい人ほど、便利なフリーソフトを見つけて、効率よく上手に使っているイメージがある。最近では、スマホと連携して、いつでもどこからでも効率的にデータやプログラムを処理できるアプリがたくさんある。

しかし、やみくもにフリーソフトをインストールすると、思わぬ落とし穴が隠されているので注意が必要だ。

①マルウェアやバックドアが仕込まれていることがある

フリーソフトで最も悪質なのがこのタイプだ。２０１５年、中国の大手インターネットサービス「バイドゥ」が無料で提供するアプリにバックドア（不正アクセスするための入り口）を仕込んでいたことが大きく取り上げられ、ちょっとした騒動になった。

パソコンにバックドアが仕掛けられると、自由に不正アクセスできるようになり、個人情報やアドレス帳データなどが盗み取られてしまう可能性がある。

②互換性があるとされているのに完全に復元できない

ワードやエクセルは、ビジネスにスタンダードなソフトウェアだが、個人で購入するには高額すぎて手が出ない人もいるだろう。そういったユーザーのために、グーグルをはじめ、さまざまなメーカーが、Microsoft Office と互換性があるオフィスアプリをリリースしている。

ただ、それらのオフィスアプリは、Microsoft

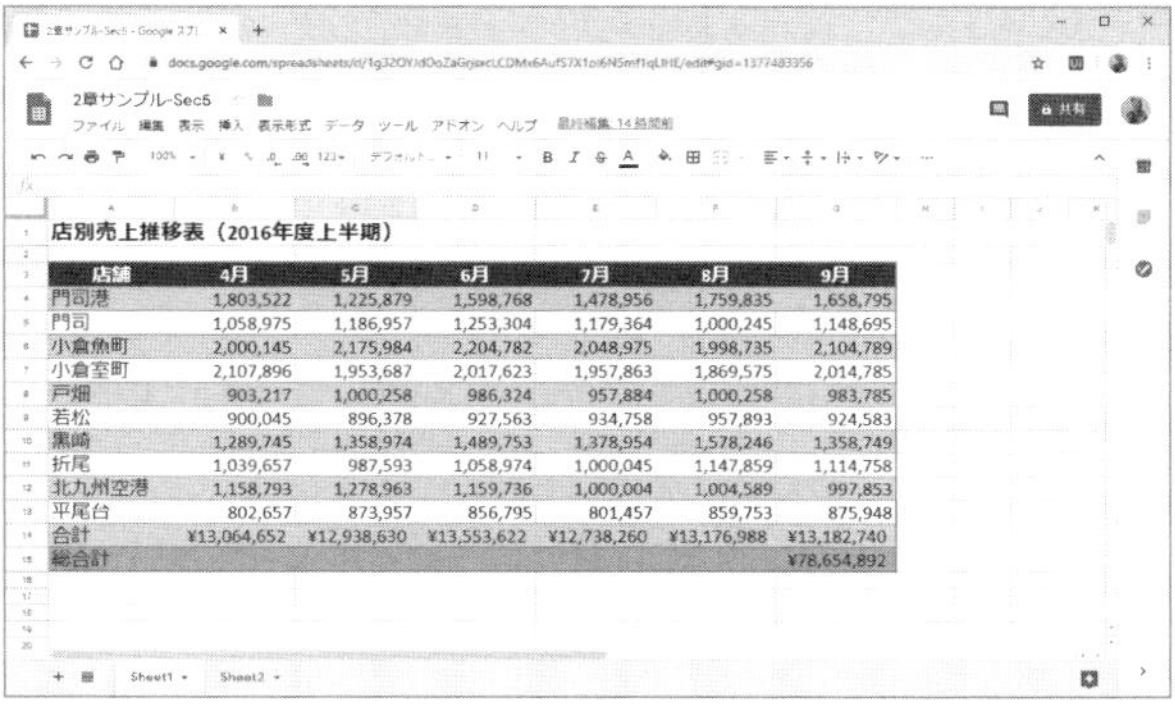

店別売上推移表（2016年度上半期）

店舗	4月	5月	6月	7月	8月	9月
門司港	1,803,522	1,225,879	1,598,768	1,478,956	1,759,835	1,658,795
門司	1,058,975	1,186,957	1,253,304	1,179,364	1,000,245	1,148,695
小倉魚町	2,000,145	2,175,984	2,204,782	2,048,975	1,998,735	2,104,789
小倉室町	2,107,896	1,953,687	2,017,623	1,957,863	1,869,575	2,014,785
戸畑	903,217	1,000,258	986,324	957,884	1,000,258	983,785
若松	900,045	896,378	927,563	934,758	957,893	924,583
黒崎	1,289,745	1,358,974	1,489,753	1,378,954	1,578,246	1,358,749
折尾	1,039,657	987,593	1,058,974	1,000,045	1,147,859	1,114,758
北九州空港	1,158,793	1,278,963	1,159,736	1,000,004	1,004,589	997,853
平尾台	802,657	873,957	856,795	801,457	859,753	875,948
合計	¥13,064,652	¥12,938,630	¥13,553,622	¥12,738,260	¥13,176,988	¥13,182,740
総合計						¥78,654,892

▲グーグルの表計算ソフト「スプレッドシート」。エクセルと互換性があり、再現度も高い

Officeのファイルを開けるが、エクセルやワードでの状態を完全に再現できるわけではないので注意が必要だ。

③最新のWindowsに対応しているとは限らない

多くのフリーソフトは、個人や小規模なソフトハウスが作成・配布している。そのため、常に最新のWindowsに適応したバージョンを配布できているとは限らない。

また、サポートが十分行われているアプリの方が少ない。便利そうだからとインストールしてみたものの、適切に稼働しなかったり、パソコンの動作に悪影響を及ぼしたりすることもあるので注意が必要だ。

ウイルス対策

「ランサムウェア」「ボット」「バックドア」……パソコンの危険をいくつ知っていますか？

1990年代末から2000年代には、コンピューターウイルスが爆発的な感染力を見せつけ、その存在感を示した。しかし、当時、パソコンへの危機意識が低かったことによるところが大きく、あからさまに怪しいメールでも普通に開かれていた。

2000年ごろに大流行したワーム「I LOVE YOU」は、「I LOVE YOU」というタイトルのメールで届き、「LOVE-LETTER-FOR-YOU.TXT.VBS」という名前の添付ファイルをクリックすることで感染する。感染すると、アドレス帳に登録されたアドレスに、自らのコピーを送り付け、JPEGやMP3などのファイルを破壊した。この大流行でパソコンのセキュリティ意識が一気に高まり、アンチウイルスソフトが普及するきっかけとなった。

このときのことを覚えているユーザーは、パソコンの脅威といえばウイルスしかなかったようなイメージだが、1990年代末には大規模なサイバー攻撃が始まり、2000年には省庁のウェブサイト改ざんが大きな問題となって、不正アクセス禁止法が施行された。2000年代前半にはすでにフィッシング詐欺の被害がみられ、アノニマスのようなクラッカー集団も話題となった。

パソコンの普及が広がると同時に、さまざまな脅威が生まれていたといえる。それでは、パソコンを取り巻く脅威には、どのようなものがあるのか、まとめてみよう。

マルウェアとは？

「マルウェア」とは「malicious software」の略で、悪意のあるソフトウェアという意味。「ウイルス」や「ワーム」、「ランサムウェア」、「スパイウェア」など、パソコンに害を及ぼすプログラムの総称だ。ウイルスをパ

マルウェア

マルウェアの種類	特定の目的があるマルウェア
ウイルス	ランサムウェア：金品奪取
ワーム	スパイウェア：情報奪取
トロイの木馬	ボット：遠隔操作
	バックドア：不正侵入
	アドウェア：広告表示
	キーロガー：情報奪取

ソコンに害をなすプログラムの総称のように思っている人が多いが、セキュリティ用語として、ウイルスはマルウェアの一種だ。

マルウェアには、ウイルスやワーム、トロイの木馬の3種類があり、メールやインターネット、USBメモリなどを介して感染する。また、マルウェアのうち、情報を漏洩させるものは「スパイウェア」、パソコンを人質に金品を要求するものを「ランサムウェア」というように、特定の目的があるものを呼び分けている。例えば、スパイウェアには、トロイの木馬のものもあれば、フリーソフトなどに組み込まれていることもある。

マルウェアの種類

ウイルス

「コンピューターウイルス」の略称。メールやUSBメモリを媒介として感染する。単独で存在できず、ファイルの一部を改ざんして潜り込み、ファイルが開かれることで起動する。自身をコピーして増殖し、アドレス帳にあるアドレスにメールを送信して感染を広げていく。

ワーム

ウイルスと同様にメールやUSBメモリを媒介として感染し、自らを複製して感染・増殖していくが、単独のプログラムとして存在する。自らを複製し、大量のメールを送信して大きな被害を与える。

トロイの木馬

画像ファイルなど、一見安全なファイルに偽装し、USBメモリなどを経由してパソコンに入り込む。ファイルが開かれると起動し、パソコンを改変、破壊したり、情報を無断で送信したりする。

特定の目的があるマルウェア

ランサムウェア

パソコンに感染すると、ハードディスクを暗号化するなどと脅し、パソコンを〝人質〟

として金品を要求するマルウェア。指示通りに支払っても暗号化が解除されないことが多く、要求に応じてはいけない。

スパイウェア

知らないうちにインストールされ、個人情報や機密を盗み出すマルウェア。多くは「シェアウェア」（試用期間終了後、継続使用する場合は有料になるアプリ）やフリーソフトにスパイウェアが組み込まれており、ユーザーはそのことを知らずにインストールし、使用し続けることで個人情報や機密事項を漏洩させている。

アドウェア

フリーソフトに組み込まれていたり、ウェブページを開いたときに勝手にインストールされたりすることで感染する。大量の広告を表示したり、定期的に広告のポップアップを表示させたりする。中には個人情報を盗み取るスパイウェア的な動作をするものもある。

ボット

本来は、一定の動作を自動処理するプログラムのことを指すが、セキュリティにおいては外部からパソコンを遠隔操作するマルウェアのこと。ボットに感染したパソコンは、所有者の意図とは関係なく、他のパソコンを攻撃したり、迷惑メールを大量配信したりする。

バックドア

パソコンに不正に侵入するための入り口で、ウイルス感染によって作成されたり、ソフトウェア開発時に故意に作成されていたりする。バックドアが仕掛けられると、情報が漏洩したり、パソコンが遠隔操作されたりする。

キーロガー

本来、パソコンのキーボードの操作内容を記録するソフトウェアで、これを悪用して個人情報などを盗み取る。ソフトウェアタイプとＵＳＢメモリタイプがあり、ＵＳＢメモリタイプはキーボードのＵＳＢ端子とパソコンのＵＳＢ端子の間に挿入して設置する。

ウイルス対策

セキュリティソフトを二重にかけるのはかえって危険

パソコンを取り巻く危険は、ウイルスや「トロイの木馬」だけではない。外部からパソコンを意のままに操る「ボットネット」に、パソコンの情報を盗み出す「スパイウェア」、外部から自由に侵入できるように作られる「バックドア」、パソコンそのものを人質に金品を要求する「ランサムウェア」……。被害にあったときのことを考えると、パソコンをインターネットに接続するのをためらうほど不安だ。

だからといって、セキュリティソフトを2つも3つも入れてはいけない。絶対に!

セキュリティソフトは、パソコンのセキュリティを担うため、パソコンの基本的な動作を制御するWindowsやMac OSといったOSと連携して稼働する。パソコンのバックグラウンドで起動して、常に不正な侵入者がいないか監視しているのだ。そのため、**複数の**

セキュリティソフトがインストールされていると、互いに競合してOS(WindowsやMac OS)に悪い影響を与えてしまう。その結果、パソコンの動作が遅くなったり、動かなくなったりする可能性がある。そのため、パソコンにインストールするセキュリティソフトはひとつだけにしよう。

なお、Windows10には、「Windows Defender」というセキュリティソフトがあらかじめインストールされている。基本的にアンインストールはできず、他のセキュリティソフトをインストールすると、自動的に無効になる。また、ウイルスバスターなど、ファイアウォール機能を搭載していないセキュリティソフトは、Windows Defenderのファイアウォール機能を利用してセキュリティを強化している。

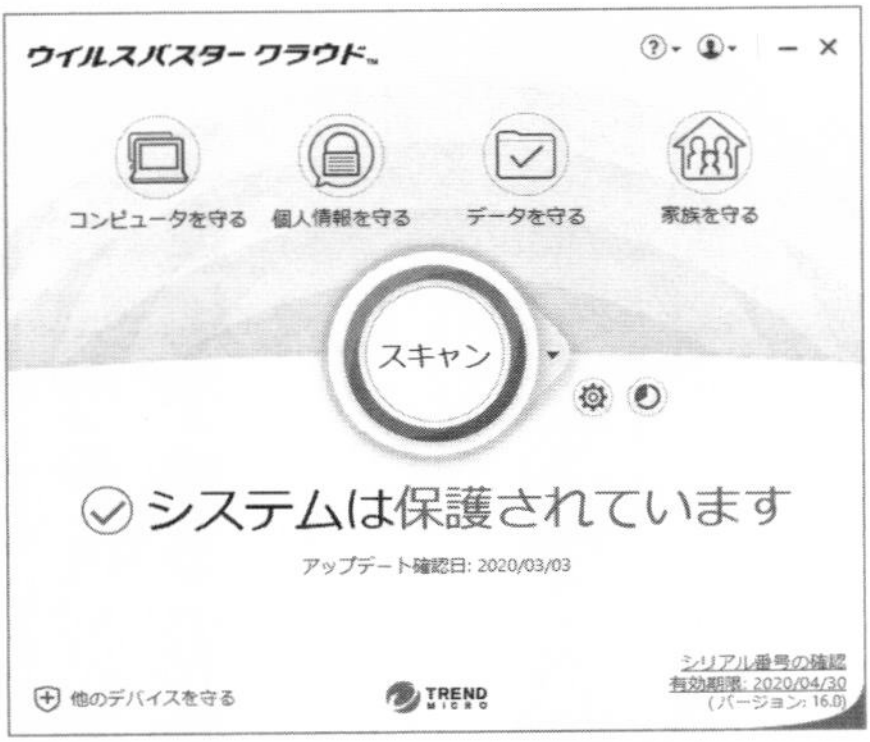

▲ウイルスバスタークラウドの画面。セキュリティソフトは、1台のパソコンに1つだけインストールしよう

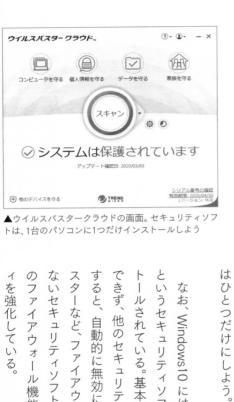

ウイルス対策

セキュリティはWindows Defenderでは不十分？

Windows8以降、Windows8.1、Windows10には、標準ソフトとしてWindows Defenderというセキュリティソフトが用意されている。

Windows Defenderは、市販のセキュリティソフトと同じく、ウイルス侵入防止機能や既存のファイルをスキャンする機能、ファイルの改ざん防止機能など、基本的なセキュリティ機能は搭載されている。

しかし、おすすめのセキュリティソフトのランキングにはなかなか入ってこない。

AV-Comparativesというオーストリアのセキュリティソフトの動作を評価する団体によると、Windows Defenderは、ウイルスなどの不正アクセスのほとんどをブロックし、他のセキュリティソフトと遜色ない結果を出している。

ただ、他のセキュリティソフトと比べて、**「ネットバンキング」(インターネットを介した銀行の取引サービス）情報の保護や「システムチューニング機能」(パフォーマンスを最適化する機能）など、細やかな機能が不足している。**また、電話やメールによるサポートなどがない。

無料のセキュリティソフトと思えば充実した機能を備えているが、機能とサポートの不足はユーザーを不安にさせる。

そういう意味で、機能が充実した有料のセキュリティソフトを導入して安心した方がいいのかもしれない。

▲Windows Defenderの画面。基本的なセキュリティ機能は搭載している

ウイルス対策

実は一番恐ろしい ソーシャルエンジニアリングって？

「ハッキング」と聞いてイメージするのは、暗い部屋で天才ハッカーがキーボードを駆使して、次々とセキュリティのパスワードを解除し、機密事項をやすやすと盗み取る……といったシーンだろうか。

実はハッキングとは「ハードウェアやソフトウェアのソースコードを解析し、高度な技術を用いてその仕組みや特徴を理解しようとすること」であり、悪い意味は含まれていない。

世間一般でのハッキングのイメージに該当する言葉は、「クラッキング」だ。そして、クラッキングをする人を「クラッカー」という。クラッカーは一日中パソコンに向かい、キーボードと高度なテクニックを駆使して悪事を働いているイメージがある。

しかし、クラッキングを支えているのは、ソーシャルエンジニアリングというアナログな手法なのだ。**「ソーシャルエンジニアリング」とは、人間の心の隙間や弱み、行動のミスなどに付け込んで、個人情報やログインパスワードを入手する方法**だ。

ソーシャルエンジニアリングの代表的なテクニックには、次の3つが挙げられる。

なりすまし電話

社内のシステムにアクセスするパスワードを調べるには、システム部門に電話するのが手っ取り早い。社員になりすまし、パスワードが必要な自然な口実を用意できれば、あっさり手に入れることができるだろう。相手が本物かどうかなんて疑いようがないからだ。

ショルダーハッキング

まるで高度なテクニックのようなネーミングだが、つまり、覗き見のことだ。スマホやATM、入室用のパスワードなどを背後からそっと覗いて、覚えて、盗み取る。最も原始的だが、最も成功率が高い。

トラッシング

これも専門的なテクニックのようだが、ゴミあさりのことだ。レシートや領収書、郵便物など、個人情報が書かれた書類はたくさんある。ゴミを丹念に調べていけば、氏名や住所、家族構成、会員番号など結構な情報が得られる。

クラッキングの被害にあったら、まず、すべてのパスワードを変更しよう。その際、誕生日や住所の番地など想像できるようなパスワードは避け、長く複雑なものを用意したほうがいい。

また、身の回りに注意を払い、セキュリティに詳しい第三者を入れて不審な点がないかチェックすることをおすすめする。

ネットの危険

便利と危険は紙一重！ 無料ファイル転送サービスのリスクとは

添付ファイルのファイルサイズが大きすぎてメールが送れない。そんなときに活躍するのが、ファイル転送サービスだ。

ファイルをファイル転送サービスにアップロードすると、相手にファイルのアップロード先となるＵＲＬが送信され、相手がそのＵＲＬからファイルをダウンロードするしくみだ。数百ＭＢ《メガバイト》～数十ＧＢ《ギガバイト》までのファイルを無料で送信できるのが魅力である。

しかし、情報漏洩や誤送信などのリスクもあり、利用には一定の注意が必要だ。

送信履歴が残らない

無料ファイル転送サービスでは、いつ、誰に、何を送信したという履歴が残らない。そのため、メールアドレスに間違いがあっても、送信者は誤送信したことに気づかないのだ。

また、相手に確かめない限り、相手がファイルをダウンロードしたかどうかがわからない。無料ファイル転送サービスを利用したときは、送信相手にファイルをダウンロードしたかどうかを確認しよう。

情報漏洩の危険性が…

2019年1月、「宅ふぁいる便」を狙った不正アクセスにより、メールアドレスやパスワード、氏名、住所などの顧客情報が480万件流出した。

くすぶっていた無料ファイル転送サービスに対する不安が表面化し、大きな問題となっている。

悪意のある第三者にとって、不特定多数の情報やファイルが集まる無料ファイル転送サービスは、宝の山でしかない。

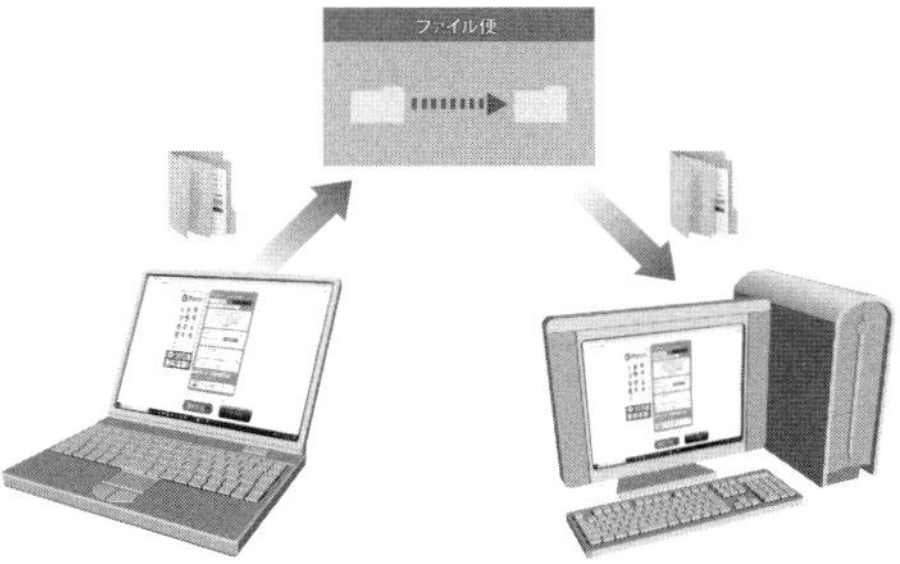

▲無料ファイル転送サービスは、気軽にサイズの大きなファイルを送信できて便利だが、そのリスクも理解しておこう

無料ファイル転送サービスは、そのリスクを理解し、被害を最小限にとどめられるよう、次の点に気をつけて利用したい。

- 機密文書や重要書類は送らない
- ファイルの暗号化、パスワードの設定などファイルにセキュリティを設定する
- 送信先へのファイル受信の確認
- セキュリティが設定できるサービスを選択する
- 不安な場合はクラウドストレージサービスでファイルを共有して送受信する

ネットの危険

「シャドーIT」を知らなかったでは済まされない

顧客情報の漏洩や不正送金など、企業が絡んだインターネットの事件は規模が大きい。ウイルスの拡散やサイバー攻撃は確かに脅威だが、実は、企業のネット環境を最も脅かしているのは、その企業の社員自身かもしれない。

オフィスで個人所有のスマホやIT機器を使用したり、許可されていないサービスやアプリを活用したりすることを「シャドーIT」という。個々の社員が、個人所有の機器を業務で活用することにより、企業の管理が行き届かなくなり、その結果、ウイルスの侵入を許したり、ボットネットに組み込まれたりする可能性がある。

例えば、仕事の続きを自宅でしようと、顧客管理のファイルをスマホにコピーし、自宅のパソコンで作業する。このファイルがウイルスに感染すればさらに事態は悪化する。業務に個人所有の機器を利用すると効率的だが、それがかえってオフィスを危険にさらすことになりかねない。

また、LINEで連絡を取り合ったり、ファイル転送サービスを利用したりするなど、許可されていないサービスやアプリを利用することにも、多くのリスクが伴うことを知っておこう。業務連絡をLINEでする場合、最も多いミスは〝誤爆〟だ。同僚や先輩への伝達事項を、間違えてクライアントに送信してしまう。その結果、信用を失ったり、ビジネスチャンスを失ったりすることもある。

シャドーITの問題点は、企業側で社員が使用しているパソコンやサービス、アプリを把握できていないことにある。多くの場合、業務効率化のために足りない機能をシャドーITで補っている側面がある。

シャドーITを禁止するのではなく、その実態を調査して、効率化が望めるアプリや方法は認めていく努力が必要だ。

5章

もっと賢い方法がある?

知って得する使い方

得するハードの使い方

毎日シャットダウンしないほうが得な理由

電気を無駄に消費するだけだし、スリープ中に不正アクセスされそうだし……なんていう理由で、パソコンの電源を毎日落としている人がかなりいる。パソコンをシャットダウンしないと一日が終わった気がしない、という人もいるだろう。

しかし、思い出してもらいたい。毎朝、パソコンの電源を入れて、実際に作業できるようになるまでの時間を。朝、オフィスに到着して、席に着くなりパソコンの電源ボタンを押し、朝礼が終わって、コーヒーを淹れ終わった頃にようやくパソコンが作業可能な状態になっている……。一見効率的に思えるが、パソコンの起動に時間がかかりすぎて、その時間に朝礼とコーヒータイムをあてているだけだ。

その点、**パソコンをシャットダウンせずにスリープ状態にしておくと、翌朝、パソコンをすばやく起動できる上、スリープ直前までの作業内容がメモリに保存されているため、手**

際よく作業に復帰できるのだ。

　また、夜間にWindows Updateやアプリのアップデート、セキュリティスキャンなどを実行してくれるなど一石二鳥だ。電気代にしても、パソコンの起動には最も電力を消費するため、毎日パソコンの電源を切るケースと、電源を切らないケースではさほど差はない。

　ただし、長期間パソコンを使用しない場合は、やはり電源を切っておいた方がよい。スリープ時には、メモリから暗号化のためのキーを盗み取り、ハードディスクの暗号化を無効にしてデータ抜き取る**「コールドブート攻撃」**といった不正アクセスを受ける可能性もある。

得するハードの使い方

スリープ、シャットダウン、休止状態の違い、知っていますか?

パソコンの電源の操作には、「シャットダウン」、「スリープ」、「休止状態」の3つがある。この**3種類の電源操作の特徴をちゃんと理解して使い分けられれば、電気代と時間を節約できる。**

シャットダウンとは、すべてのアプリを終了し、パソコンの電源が完全に切れた状態にすることだ。パソコンをシャットダウンするメリットは、停電になってもデータが守られることと、データが漏洩しにくいこと、電気をほぼ消費しないことだ。逆にデメリットは、パソコンの起動に時間がかかることと、起動時にハードディスクに負荷をかけて劣化を早めてしまうことだ。

スリープとは、アプリやファイルを開いたまま、電源を完全に切らずにパソコンの機能を停止した状態のことだ。スリープ前までの状態がメモリに保存されているので、マウスやキーボードのキーを押すことですばやく復帰できる。一定時間パソコンを無操作でいると自動的にスリープに切り替わる。Windows10の場合、初期設定でハイブリッドスリープが有効になっていて、スリープ前の状態がメモリとハードディスクにも保存されるために、スリープ中に電源が落ちてもスリープ前の状態に戻すことができる。

　なお、ハイブリッドスリープの有効／無効を切り替えたい場合は、まず、「スタート」ボタンを右クリックし、「電源オプション」を選択すると表示される「電源とスリープ」画面で「電源の追加設定」をクリックして、「電源オプション」画面を表示する。「お気に入りのプラン」に

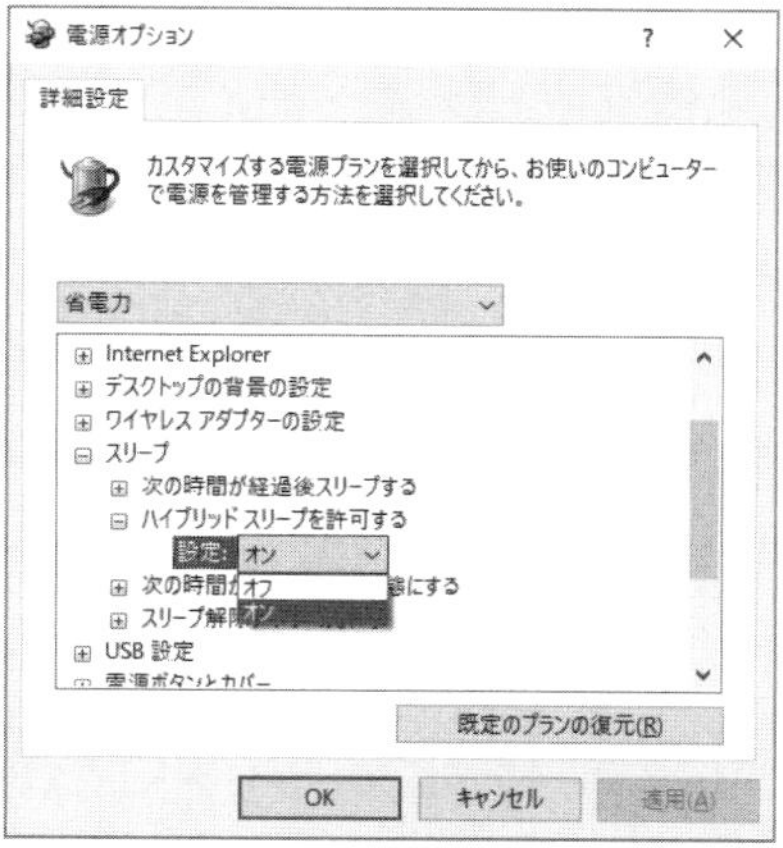

ある［プラン設定の変更］をクリックし、［詳細な電源設定の変更］をクリックすると表示される［電源オプション］ダイアログボックスで、［スリープ］→［ハイブリッドスリープを許可する］の［＋］をクリックしてメニューを展開し、［設定］で［オン］または［オフ］を選択する。

休止状態とは、ノートパソコン用に用意された電源オプションで、アプリやファイルを開いたまま、電源を完全に切らずにパソコンの機能を停止した状態のことだ。開かれたアプリやファイルの情報はハードディスクに保存され、スリープよりも低い電力でパソコン

▲［シャットダウン設定］で［休止状態］をオンにし、［変更の保存］をクリックする

の起動を維持できる。電源ボタンを押すと復帰できるが、スリープより時間がかかる。

なお、休止状態は電源のメニューに表示されていないため、まず、[スタート]ボタンを右クリックし、[電源オプション]を選択すると表示される[電源とスリープ]画面で[電源の追加設定]をクリックして、[電源オプション]画面を表示する。次に画面の左側で[電源ボタンの動作を選択する]をクリックして、[現在利用可能ではない設定を変更します]をクリックし、[シャットダウン設定]で[休止状態]をオンにして、[変更の保存]をクリックすれば、[休止状態]がメニューに表示されるようになる。

▲電源メニューに[休止状態]が表示される

得するハードの使い方

人体に影響が強いブルーライト、実際どうなの？

パソコンやスマホの画面から照射されるブルーライト。体内時計を狂わせるとか、疲れ目の原因になるといわれたりするが、ブルーライトの何がいけないのかよくわからないのが本当のところだろう。

ブルーライトとは、可視光線のうちの380〜500nmまでの波長の短い青い光のことを言う。紫外線に近くてエネルギーが高く、ホコリや水蒸気などの影響を受けて散乱しやすいという性質を持つ。晴れの日のブルーライトは、オフィスの100倍の強さがあるなど、ブルーライトそのものは自然界でもありふれた存在だ。朝に太陽光のブルーライトを浴びると体内時計がリセットされるというように、体にとって不可欠な存在でもある。

では、どうしてブルーライトが健康に良くないといわれるのか？ それ

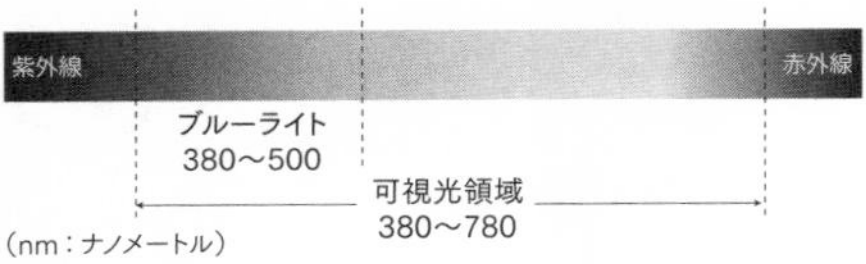

(nm：ナノメートル)

は、夜遅くまでパソコンやスマホを見ていると、ブルーライトを夜に浴びるために、体内時計が狂ってしまうのだ。それによって寝つきが悪くなったり、疲れが取れにくくなったりする。その上、波長が短いブルーライトはホコリなどの影響を受けやすく、散乱してまぶしさやちらつきで目を疲れさせてしまう。

ブルーライトを見ないように、ブルーライトカットの眼鏡などが販売されているが、Windows10にはブルーライトを減らす機能が用意されている。Windows10でブルーライトを減らすには、デスクトップ画面の余白で右クリックし、［ディスプレイ設定］を選択すると表示される画面で［ディスプレイ］を選択して、［夜間モード］をオンにする。夜間モード起動の時間を設定するには、この画面の［夜間モードの設定］をクリックし、［夜間モードのスケジュール］をオンにして［時間の設定］を選択し、開始時間と終了時間を入力する。

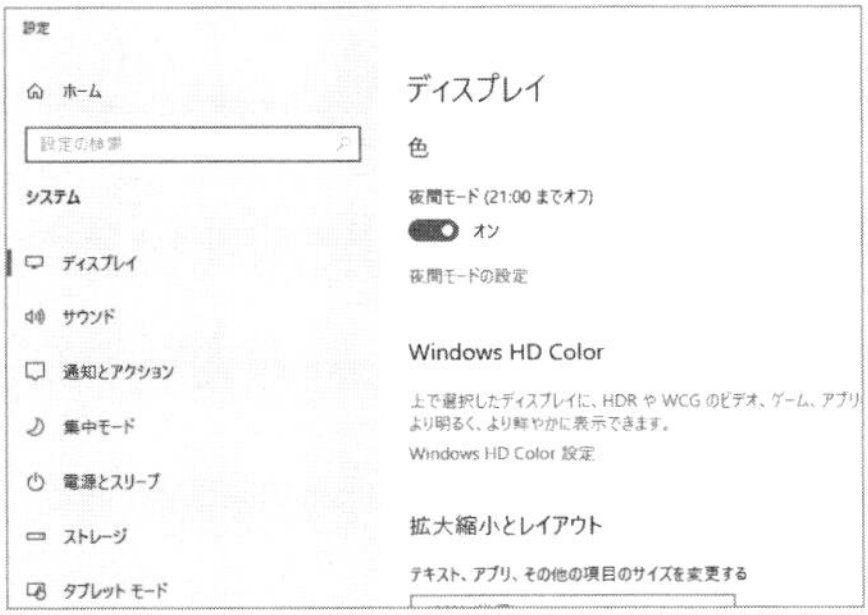

▲［夜間モード］をオンにしてブルーライトを減らそう

クラウドの使い方

いまさら聞けない！ クラウドってなに？

「クラウドストレージサービス」とは、インターネット上に設置したサーバーの保存領域をユーザーに貸し出すサービスのこと。「オンラインストレージサービス」とも呼ばれている。ユーザーはパソコンやスマートフォンからアクセスして、割り振られた保存領域にファイルをアップロードしたり、アップロードされたファイルを閲覧／編集したりできる。代表的なクラウドストレージには、Appleの「iCloud」、グーグルの「Googleドライブ」、マイクロソフトの「One Drive」、「Dropbox」などがある。

クラウドストレージサービスのメリット

パソコンの容量を節約できる

ノートパソコンの場合、デスクトップパソコンに比べて、ハードディスクの容量が少なく、ファイルの保存は切実な問題だ。クラウドサービスのメリットは、インターネット上にファイルを保存できることだ。インターネットに接続できれば、どこからでもファイルを利用できるため、パソコンにファイルを保存しておく必要がなくなる。

場所を選ばないでファイルを利用できる

クラウドサービスを利用すると、どこからでもファイルを閲覧、編集することができる。また、スマホとタブレット端末用のアプリも用意されているので、端末を選ばずにファイルを利用できる点も大きなメリットだ。

複数のユーザーと共同作業ができる

クラウドストレージサービスにアップロードされた

▲パソコンのファイルをクラウドストレージサービスに保存すると、ファイルを自分のパソコンに保存しておく必要がなくなる

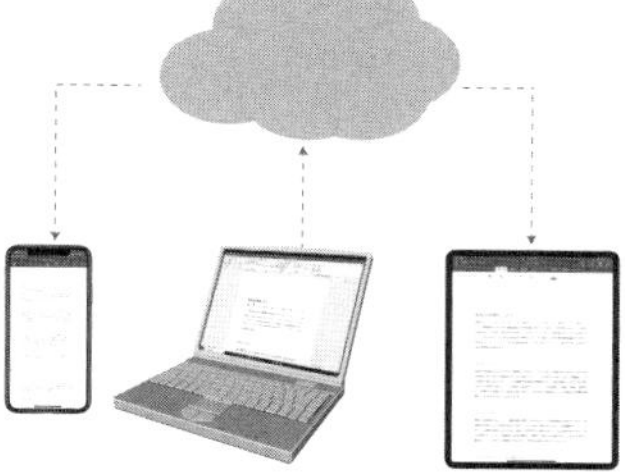

▲クラウドサービスを保存したファイルを外出先で利用できる

ファイルは、複数のユーザーと共有できる。他のユーザーがファイルを閲覧、編集することができるわけだ。通信環境に問題がなければ、ファイルに対して加えられる修正や変更はすぐに反映されるため、複数のユーザーでひとつのファイルを編集することなどが可能だ。

バックアップを作成できる

クラウドストレージの容量に余裕がある場合は、パソコンにあるファイルのバックアップを作成するのもいいだろう。パソコンが壊れてしまうと、重要なファイルや大切な写真、音楽などが失われてしまう。クラウドストレージにバックアップを作成しておけば、パソコンが壊れたとしても別のパソコンに必要なファイルをダウンロードできて安心だ。

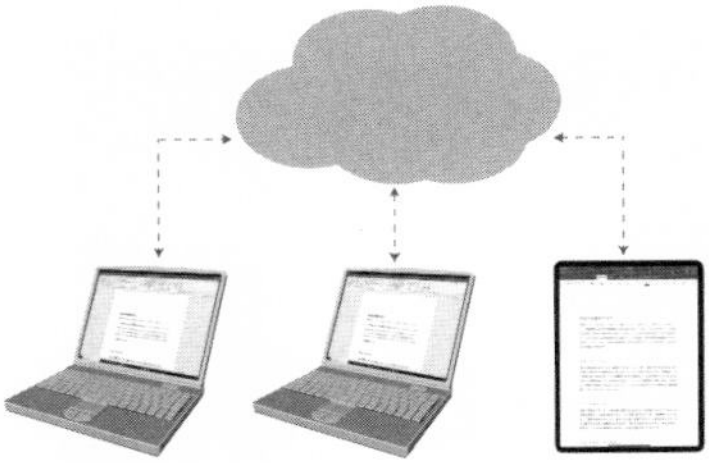

▲他のユーザーと共同作業できる

▲パソコンのバックアップ先にクラウドストレージを利用できる

クラウドの使い方

クラウドのリスクを知っておこう

クラウドストレージは、インターネット上にあるからこそ、どこからでもアクセスできて便利なのだが、インターネット上にあるがゆえに起こりうるリスクもある。クラウドストレージを利用する場合は、通信やクラウドストレージサービス業者など、外的要因によって動作や使用方法が左右されることがあるのだ。

クラウドストレージのリスク

インターネットへの接続状況に影響を受ける

クラウドストレージはインターネット上にあるため、インターネットへの接続状況によって作業が左右されてしまう。通信トラブルが起こると、「変更結果がファイルに反映されない」、「ファイルが壊れる」、「他のユーザーとの共同作業で不整合が生じる」などのトラブルが起こりうる。クラウドストレージ上にあるファイルを変更する場合は、安定した通信環境で行うようにしよう。

情報漏洩などのセキュリティリスクがある

クラウドストレージはインターネット上にあるため、ハッキングやアカウント情報の盗用によって、情報の漏洩や改ざんの可能性がある。特にユーザーIDとパスワードが盗まれると、クラウドストレージ上にあるファイルへ自由にアクセスできるため注意が必要だ。

データ消失の可能性がある

クラウドストレージはセキュリティで堅く守られているが、悪意のある第三者に攻撃される可能性もある。クラウドストレージのサーバーが利用できなくなった場合は、保存されているファイルが失われてしまうリスクがないとは言い切れない。

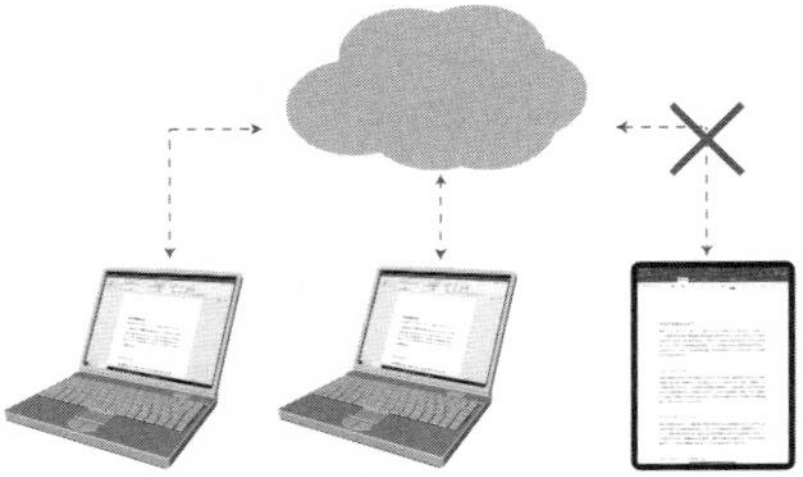

▲インターネットへの接続状況に作業が左右される

クラウドの使い方

保存容量を増やすならHDD・NAS・クラウド……、なにがいい?

パソコンのストレージ(保存容量)を増やしたいとき、真っ先に思いつくのは内蔵HDDの追加だろう。しかし、内蔵HDDだと、データの共有が難しく、セキュリティにも問題が生じてしまう。また、ノートパソコンの場合は、外部にストレージを追加するしかない。せっかくストレージを追加するなら、業務やライフスタイルに合わせると、パソコンをより快適に、便利に使えるようになる。パソコンの外部にストレージを追加する方法には、次のようなものがある。メリットとデメリットを確認して、自分に合った方法を選択しよう。

外付けHDD/SSD

外付けハードディスクのメリットは、安価に容量の大きな保存領域を追加できることだ。

USBケーブルをつなぐだけで簡単に接続できる上、複数のパソコンでも利用できる。

しかし、その都度持ち歩いて接続する必要があり、置く場所も必要となる。また、接続部分が故障しやすいなど、トラブルも多い。パソコンのデータのバックアップには適切だが、パソコンの追加ストレージとしては問題が多い。

NAS

「NAS」は、「Network Attached Storage」の略でLANネットワーク上にある専用ハードディスクだ。同じLAN上にある複数のパソコンとデータを共有したり、共同作業したりすることができるのがメリットだ。また、パソコンが故障したり、盗難にあったりしても、NASのデータを利用できる。8TBという大容量のNASでも5万円前後から販売されていて容易に導入できる。デメリットは、NASにデータが一元管理されているため、NASが故障したり、NASが攻撃され

▲バッファローのNAS:LS520D0802G

たりした場合にデータを利用できなくなることだ。オフィスでファイルを共有し、共同作業する必要がある場合には、NASによるストレージ追加は魅力的だ。

クラウドストレージ

「クラウドストレージ」とは、インターネット上にある保存領域のことだ。ネットサーバー上に保存領域が用意されているため、インターネット接続が可能ならばどこからでもデータを利用できる。ただ、月額費用がかかること、接続状態が通信環境に左右されるといったデメリットもある。また、通信状態によって保存に時間がかかり、タイムラグが生じることがあるため、共同作業する際には注意が必要な場合がある。外出先からデータを利用したい場合は特に便利だ。

クラウドサービス	OneDrive	GoogleDrive(GoogleOne)	iCloud	Dropbox
運営企業	Microsoft	Google	Apple	Dropbox
無料容量	5GB	15GB	5GB	2GB
有料サービス	100GB(¥224/月) 1TB(Office 365/365 Solo契約が条件)	100GB(¥250/月) 200GB(¥380/月) 2TB(¥1,300/月)	50GB(¥130/月) 200GB(¥400/月) 2TB(¥1,300/月)	2TB(¥1,500/月) 3TB(¥2,400/月)

▲主なクラウドストレージサービス

便利機能

ノートパソコンのタッチパッドを正しく使おう

ノートパソコンのタッチパッドは、マウスの代わりに指先でなぞるだけでパソコンを操作できる便利な機能だ。直感的に操作するだけで、必要な作業はある程度こなせるため、タッチパッドの便利な使い方を知らないユーザーも多い。

まずは、使用しているノートパソコンが高精度タッチパッドに対応しているかどうかを確認しよう。高精度タッチパッドとは、従来のタッチパッドと比べて操作の精度が高く、3本指、4本指のジェスチャも用意されている多彩な機能のタッチパッドのことだ。

高精度タッチパッドに対応しているかどうかの確認方法は後述する。

最初に、タッチパッドの基本操作を知っておこう。この操作は高精度タッチパッドでなくても同じ作業ができる。

項目を選択する／クリックする

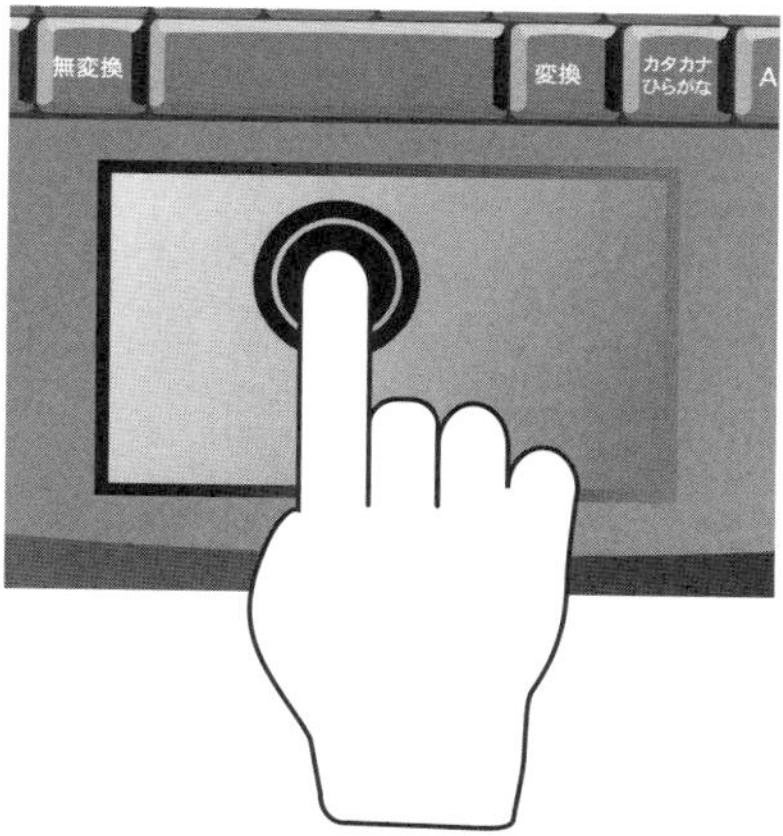

◀パッドの中央を1本の指で軽くたたく(タップする)。アイコンやボタンをクリックしたり、メニューを選択したりする際にこの操作を行う

右クリックする

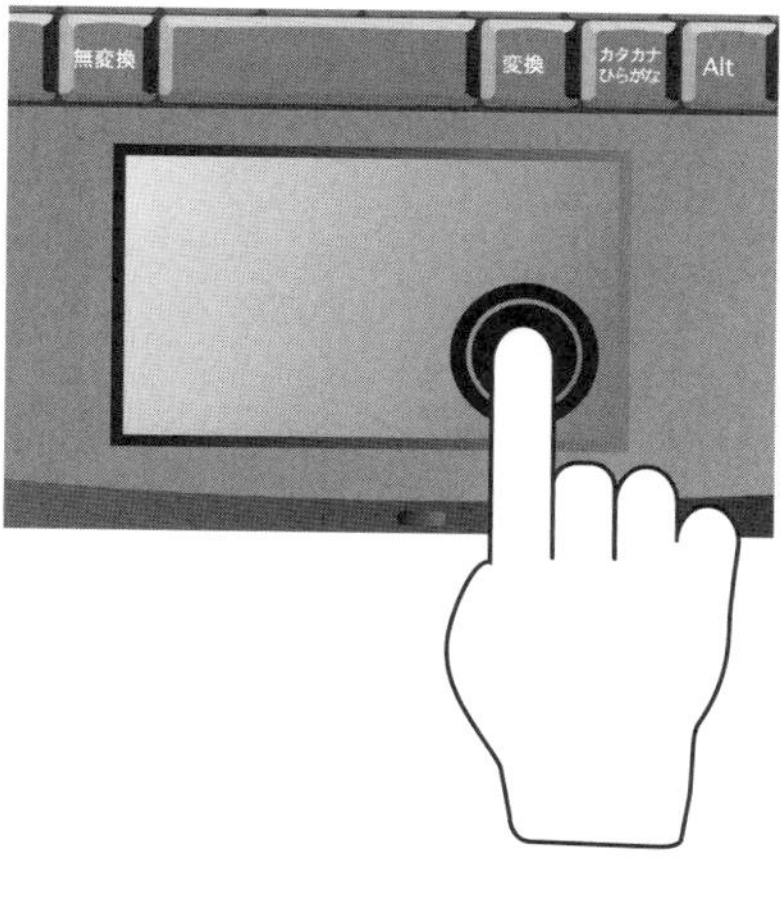

◀タッチパッドの右下を軽くたたく(タップする)。2本指でタッチパッドの中央を軽くたたく(タップする)機種もある。アイコンなどを右クリックしてショートカットメニューを表示させるような場合にこの操作を行う

縦にスクロールする

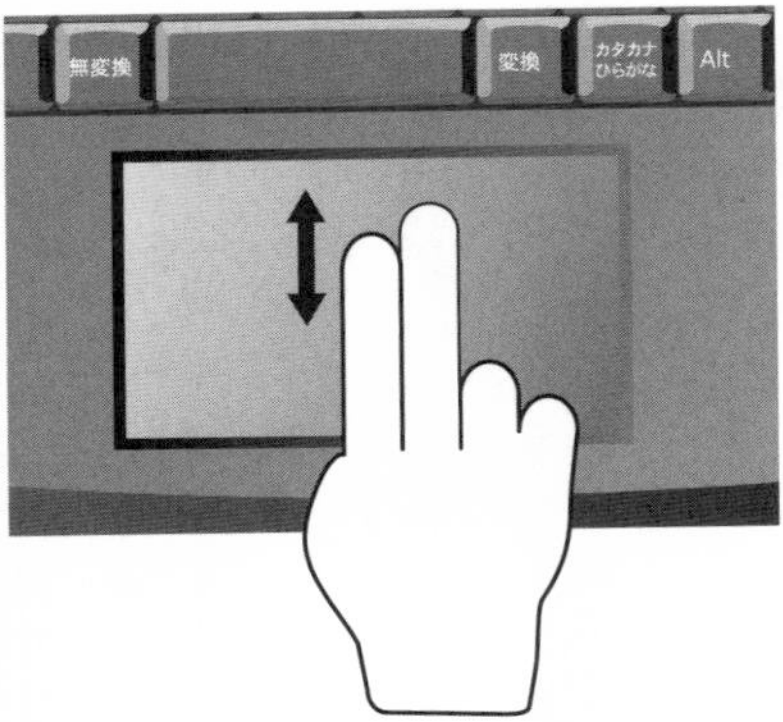

◀タッチパッドで2本の指先を上下に滑らせる。ウェブブラウザやアプリの画面を縦にスクロールする場合にこの操作を行う

横にスクロールする

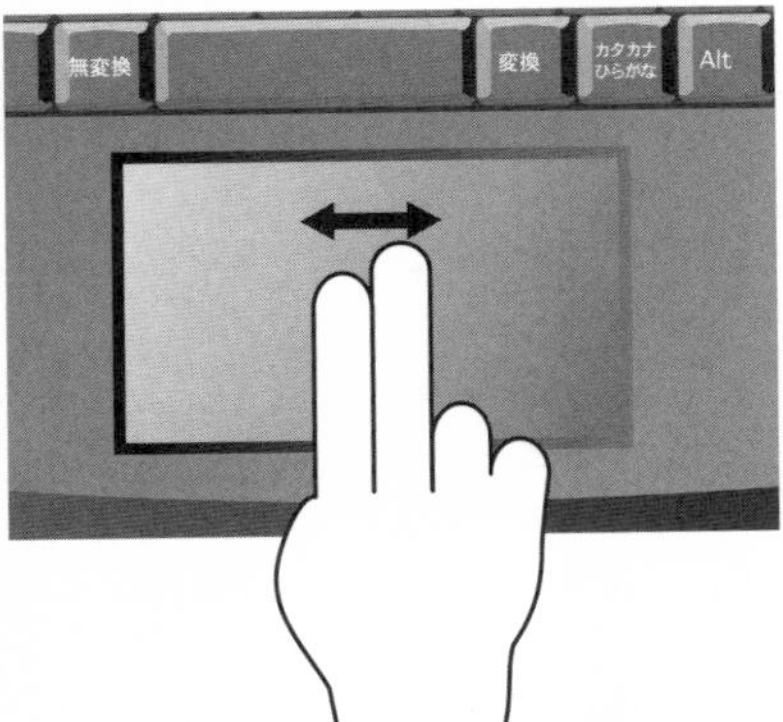

◀タッチパッドで2本の指先を左右に滑らせる。ウェブブラウザやアプリで横にスクロールする際にこの操作を行う

画面を拡大／縮小する

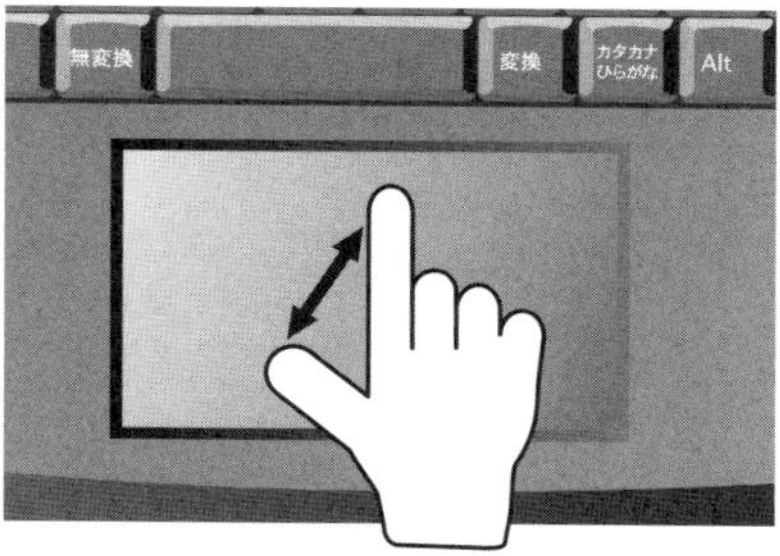

◀タッチパッドで2本の指先を開いて画面や画像を拡大表示する。また、指先を閉じて画面や画像を縮小表示する

次は高精度タッチパッドでサポートされているジェスチャだ。使っているパソコンが高精度タッチパッドに対応しているかを確認するには、「スタート」ボタンをクリックし、「設定（歯車の形のアイコン）」をクリックすると表示される画面で、「デバイス」をクリックし、左のメニューで「タッチパッド」をクリックする。表示される画面に「お使いのPCには高精度タッチパッドが用意されています」と表示されれば、高精度タッチパッド対応ノートパソコンだ。

使い方は、ちょっとしたことだが、覚えておくととても便利で、パソコンの操作を効率化できる。まずは実際に操作してみよう。

デスクトップを表示する

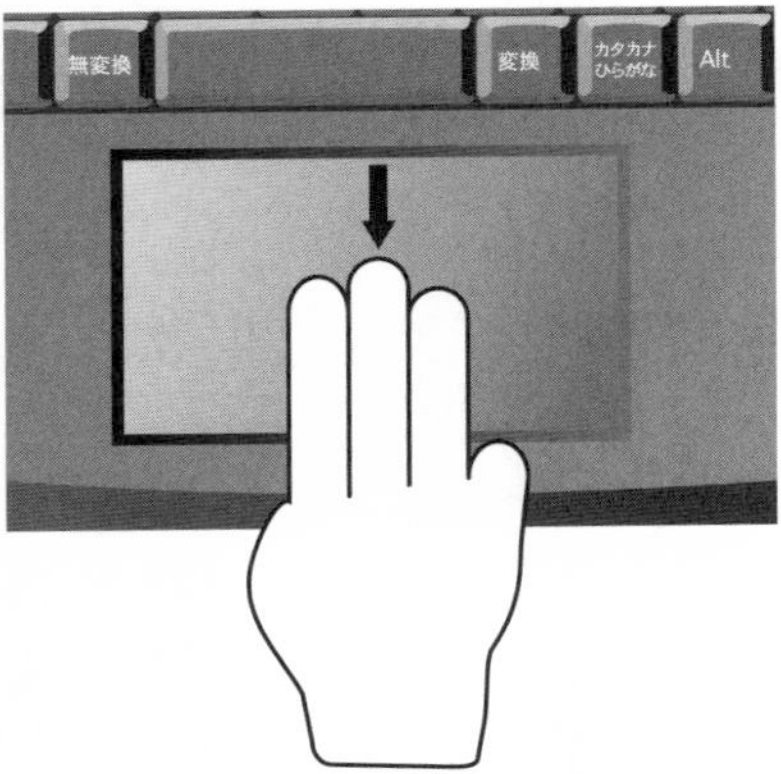

◀タッチパッドで3本の指先を下に向かって滑らせると、デスクトップが表示される。ウィンドウを閉じる手間が省けて大変便利だ

現在開かれているウィンドウを一覧で表示する

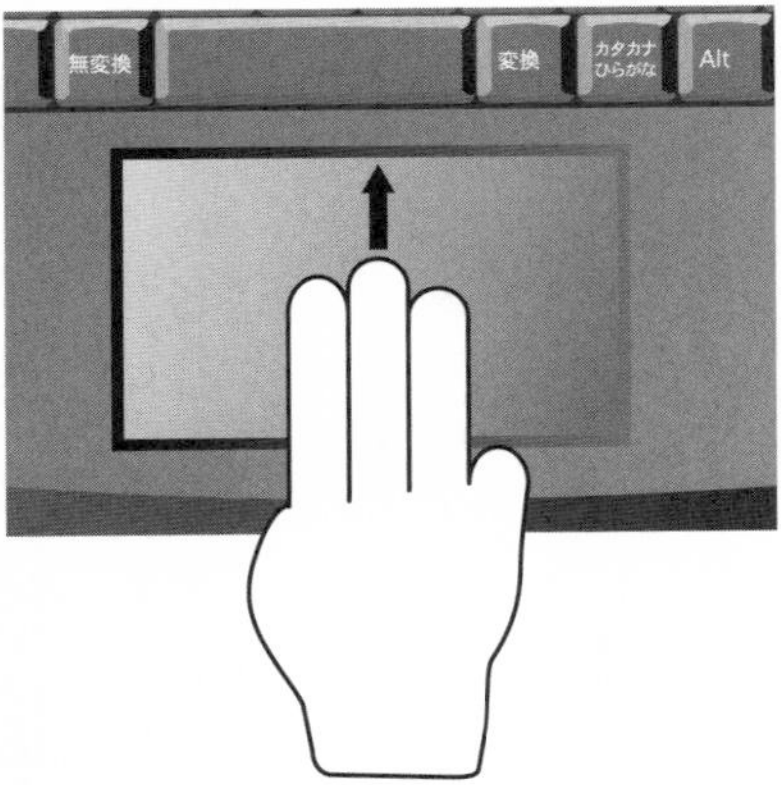

◀タッチパッドで3本の指先を上に向かって滑らせると、現在開かれているウィンドウが一覧で表示される。ウィンドウを切り替える際、ウィンドウを順番に開いていく手間を省ける

便利機能

暗記して絶対損しない！　ショートカットキー

キーボード操作だけで、データをコピーして貼り付けたり、段落全体を選択したりする様子を「パソコン、上手だね……」なんて言いながら立って見ているだけの人……、もったいない。キーボード操作でコピーや切り取り、貼り付けといった作業は、**「パソコンの上級者だから」できるのではなく、その気になれば誰にでもできる操作**なのだ。

コピーや貼り付け、切り取り、削除など、特定の動作を実行させるキーの組み合わせをショートカットキーという。例えば、テキストのコピーは、まず、コピーするテキストを選択して、[Ctrl] キーを押しながら、[C] キーを押す。そして、貼り付ける位置をクリックし、[Ctrl] キーを押しながら [V] キーを押す。これだけの操作で、簡単にすばやくテキストをコピーできる。指先になじむくらいまで、繰り返しやってみてほしい。適切にキーを押せば、失敗することもない。気がつくと、メニューやボタンを使ってコピペをすることがまどろっこしく思えてくるだろう。
まずは、次のショートカットキーを実践してみよう。

選択

①[Ctrl]+[A]：すべてを選択

「Ctrl」キーを押しながら「A」キーを押すと、テキストや画像など、ファイル上にあるすべてのものを選択できる。

②単語の上でダブルクリック：単語を選択

文中の単語の上でダブルクリックすると、その単語を選択できる。

③段落の上でトリプルクリック：段落を選択

段落の上でトリプルクリック(3回連続ですばやくクリックすること)すると、その段落を選択できる。

> 概要：父の看病のため実家に戻ってきた、四十代フリーライターの蒼汰。両親は、フリーランスという自由な仕事のスタイルを認めてはいるが、快くは思っていない。そんなとき、近所で子供を狙った痴漢が出没する。犯人の髪型と背格好、年齢が蒼汰に当てはまり、疑いの目で見られていることを幼馴染の中本から告げられる。疑いを晴らすべく犯人探しを始め

▲ダブルクリックすると単語を選択できる

コピー／貼り付け／切り取り／元に戻す

①[Ctrl]＋[C]：コピーする

テキストや画像を選択し、［Ctrl］キーを押しながら［C］キーを押すと、選択したテキストや画像をコピーできる。なお、ここでいうコピーとは、選択したテキストなどを一時的にクリップボード（コピーを記憶させる領域）に記憶させることをいい、複製を作成するには、コピーを貼り付ける必要がある。

②[Ctrl]＋[V]：貼り付ける

［Ctrl］キーを押しながら［V］キーを押すと、コピーまたは切り取ったテキストや画像などを貼り付けることができる。

③[Ctrl]＋[X]：切り取る

テキストや画像を選択し、［Ctrl］キーを押しながら［X］キーを押すと、切り取る（選択したテキストや画像を削除し、クリップボードに保存させておくこと）ことができる。

[Ctrl] + [X] でテキストや画像を切り取った後、[Ctrl] + [V] を押して貼り付けると、選択したテキストや画像を移動させることができる。

④[Ctrl]+[Z]：元に戻す

削除したテキストや画像を元に戻したり、テキストの修正を元の状態に戻したりしたい場合は、[Ctrl] キーを押しながら [Z] キーを押してみよう。[Z] キーを押すたびに、ひとつ前の状態に戻すことができる。

画面の切り替え

①[Alt]+[Tab]：表示中の画面を切り替える

複数のアプリの画面を開いている場合に、[Alt]

▲[Alt]+[Tab]で開かれている画面の一覧を表示し、[Tab]を押す回数で表示する画面を選択する

キーを押しながら［Tab］キーを押すと、現在開かれている画面が一覧で表示され、［Tab］キーを押す回数で表示させる画面を選択できる。

②[Ctrl]＋[Tab]：ウェブブラウザのタブを切り替える

Edgeや Chromeなどのウェブブラウザで複数のウェブページを開いている場合に、［Ctrl］キーを押しながら［Tab］キーを押すと、開かれているタブ（ウェブページが表示されている画面）が切り替わり、［Tab］キーを押した回数分、表示するタブを左から順番に移動できる。

▲ウェブブラウザの表示時に[Ctrl]＋[Tab]を押すと、タブを切り替えることができる

便利機能

「Fキー」を使わない人は一年で10時間損している

キーボードの最上部に並んでいる［F1］から［F12］までのキーを「ファンクションキー」という。ある程度パソコンの操作に慣れている人でも、ファンクションキーに触ることには慎重になってしまう。

しかし、ファンクションキーには、覚えておくと便利な機能がまとめられているので、ぜひ覚えてほしい。

［F1］キー：ヘルプ画面の表示

アプリの表示中に［F1］キーを押すと、そのアプリのヘルプ画面を表示できる。なお、デスクトップ画面を表示しているときに［F1］キーを押すと、ウェブブラウザのEdgeが起動し、「Windows10でヘルプを表示する方法」をキーワードにした検索結果が表示される。

これは、Windows10にはヘルプ画面が用意されておらず、コルタナ（Windows10の検索機能）を使ってわからないことを検索するスタイルに切り替わったためだ。

「F2」キー：ファイルやフォルダの名前を変更

ファイルのアイコンをクリックして選択し、「F2」キーを押すと、ファイル名が編集できる状態になる。

「F5」キー：表示内容の更新

「F5」キーを押すと、現在表示されている画面を最新の状態に更新する。また、ウェブブラウザが表示されている状態で「F5」キーを押すと、ウェブページの更新が実行される。わざわざ更新ボタンをクリックする手間が省けて便利だ。

▲ファンクションキーには便利な機能が割り当てられている

【F6】キー：テキストをひらがなに変換

入力された文字列を選択し、［F6］キーを押すと、ひらがなに変換される。変換が確定した漢字やカタカナでも、ひらがなに変換できる。なお、半角アルファベットや数字を選択して［F6］キーを押すと、全角のアルファベットや数字に変換される。

【F7】キー：テキストを全角のカタカナに変換

入力された文字列を選択し、［F7］キーを押すと、全角のカタカナに変換される。変換が確定した漢字やひらがなでも、全角のカタカナに変換できる。なお、半角のアルファベットや数字の場合は、全角のアルファベットや数字に変換される。

【F8】キー：テキストを半角のカタカナに変換

入力された文字列を選択し、［F8］キーを押すと、半角のカタカナに変換される。変換が確定した漢字やひらがなでも、半角のカタカナに変換される。なお、全角のアルファベットや数字の場合は、半角のアルファベットや数字に変換される。

[F9] キー：テキストを全角のアルファベットに変換

入力された文字列を選択して［F9］キーを押すと、全角のアルファベットに変換される。漢字やひらがなを含むセンテンスは、すべて全角のアルファベットに変換されるが、漢字の単語や熟語のみを選択した場合は、全角カタカナに変換される。また、半角のアルファベットや数字の場合は、全角のアルファベットや数字に変換される。

[F10] キー：テキストを半角のアルファベットに変換

入力された文字列を選択し、［F10］キーを押すと、半角のアルファベットに変換される。漢字やひらがなを含むセンテンスは、すべて半角のアルファベットに変換されるが、漢字の単語や熟語のみを選択した場合は、半角カタカナに変換される。なお、全角のアルファベットや数字の場合は、半角のアルファベットや数字に変換される。

[Fn] キーとファンクションキーを組み合わせる

パソコンやキーボードの機種によっては、左下あたりにある［Ctrl］キーの右側に［Fn］

キーが搭載されているものがある。ノートパソコンなどの小型のキーボードでは、多くのキーを配置できないため、ファンクションキーに機能を割り当てている。[Fn]キーは、ファンクションキーに割り当てられた機能を[Fn]キーと同時に押すことで実行できるようにしたものだ。例えば、音量を上げたいときは[Fn]キーを押しながら[F3]キーを、音量を下げたいときは[Fn]キーを押しながら[F4]キーを押せばいい。多くの場合、ファンクションキーには、[Fn]キーを押しながら押すと実行できる機能をキーの上にイラストで表示されている。

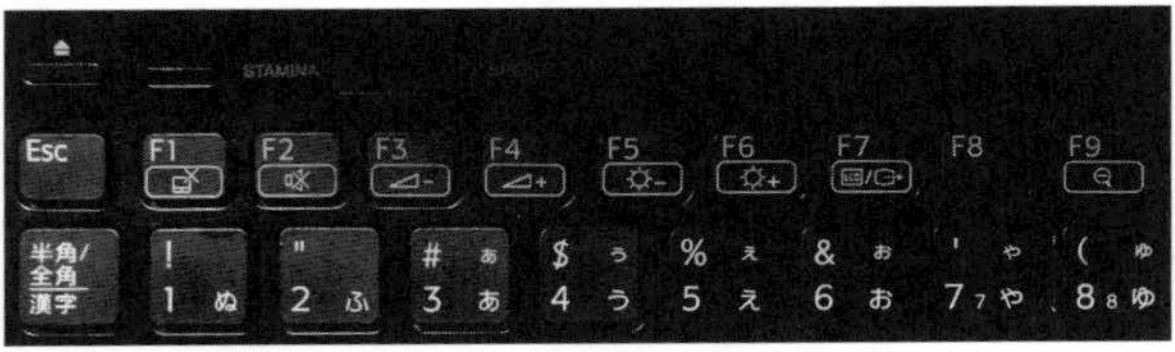

▲[Fn]+[F2]：音声のオン/オフを切り替える
[Fn]+[F3]：音量を下げる
[Fn]+[F4]：音量を上げる
[Fn]+[F5]：画面を暗くする
[Fn]+[F6]：画面を明るくする
[Fn]+[F7]：画面の出力先を外部モニタに切り替える
[Fn]+[F9]：画面を縮小表示する

便利機能

「通知の表示」の許可を求めるダイアログは何とかできない？

Windows10では、頻繁にアプリからの通知が表示される。さして重要でもない通知が頻繁に表示されると、煩わしい気分にさせられる。表示される通知には、Windows10と、それぞれのアプリの通知機能によるものとがある。

Windows10の通知機能を無効にしたい場合は、［スタート］ボタンをクリックし、スタートメニューで［設定（歯車の形のアイコン）］をクリックして、［システム］をクリックし、表示される画面の左のメニューで［通知とアクション］をクリック。［通知とアク

▲[Windowsの設定]画面で[システム]→[通知とアクション]を選択すると表示される画面でWindowsとアプリの通知機能を制御する

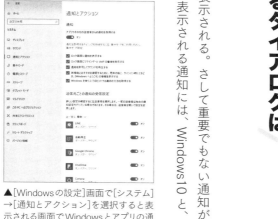

ション］画面が表示されるので、［通知］にある［アプリやその他の送信者からの通知を取得する］のスライダをオフにする。また、Windows10の通知機能の有効／無効をアプリ単位で切り替えたい場合は、この画面の下部にある［送信元ごとの通知の受信設定］の一覧で、目的のアプリの通知を設定する。

ウェブブラウザのGoogle Chromeの通知を無効にしたい場合は、画面右上にある3つの点のアイコンをクリックし、メニューで［設定］を選択して、［プライバシーとセキュリティ］にある［サイトの設定］をクリック。［通知］をクリックすると表示される画面で［通知を送信するかどうかの確認をサイトに許可する］をオフにする。また、ウェブサイト単位で通知を無効にしたい場合は、［許可］の一覧で目的のウェブサイトの右にある3つの点のアイコンをクリックし［ブロック］を選択する。

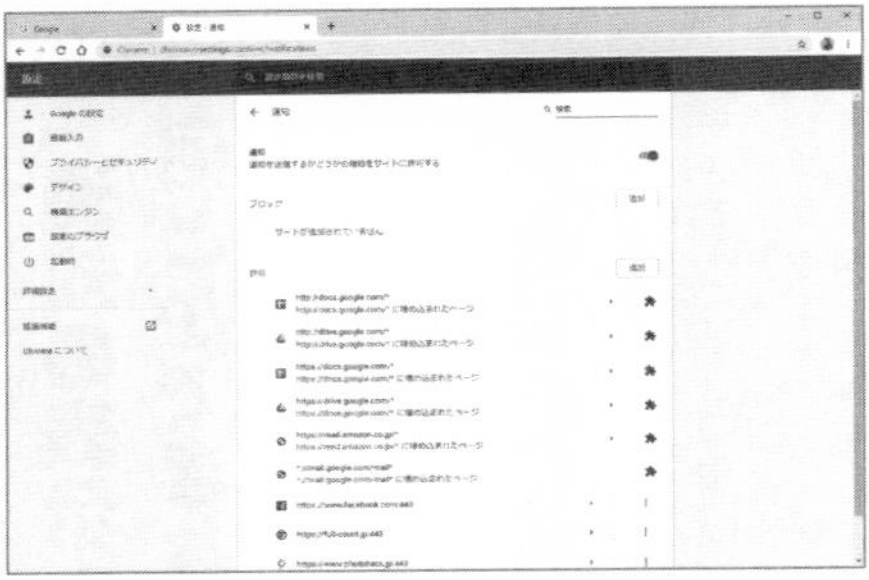

▲Google Chromeの設定画面を表示し［サイトの設定］→［通知］をクリックすると表示される画面でGoogle Chromeとウェブサイトごとの通知を制御できる

フォントのいろは

ビジネス文書で、フォントを使い分けられてる?

「フォント」とは、同じデザインで統一された文字のセットのことだ。日本語のフォントであれば、同じデザインのひらがな、カタカナ、漢字、数字、アルファベットがワンセットになっている。

社内・社外文書の規定で、フォントの種類とフォントサイズが決められている企業は意外と多い。それほどフォントの果たす役割は重要なのだ。

日本のフォントは、大きく分けると「明朝体」と「ゴシック体」、「毛筆書体」、「デザイン書体」に分けられ、ビジネスで主に使うのは「明朝体」と「ゴシック体」だ。

長文やフォーマルな書類には引き締まった印象の明朝体、ビジネス文書やプレゼンテーションでは目になじみやすいゴシック体を使うというように自然に使い分けられている。

明朝体

明朝体は、毛筆の楷書体を模して作られた書体で、縦画が太く、横画が細いのが特徴で、横画の右端には「うろこ」と呼ばれるアクセントがある。

縦画と横画の太さが違うことから、文字が引き締まって見える可読性が高い。このような特徴から、契約書や資料など、読ませる文書に使われる。

多くの企業では、契約書などフォーマルで長文を含む文書では明朝体を使うよう規定していることが多い。

Windows10の標準フォントには、「游明朝《ゆうみんちょう》」が用意されており、従来の「MS明朝」よりも読みやすい。

明朝

ゴシック体

ゴシック体は、書き出しにわずかな「打ち込み」と呼ばれるアクセントがあるほかは、すべての画がほとんど同じ太さに見えるようにデザインされたフォントだ。

ゴシック体は、視認性が高いため、社内文書や報告書、プレゼンテーションなど、箇条書きや短めの文章で簡潔に書かれている書類の作成に向いている。

Windows10の標準フォントに、「游ゴシック」が用意されている。また、Windows Vistaから標準フォントとして提供されている「メイリオ」、Windows Vista以前から用意されている「MSゴシック」があるが、ビジネス文書に使う場合は、読みやすさから「メイリオ」または「游ゴシック」がおすすめだ。

ゴシック

フォントのいろは

フォントの「MSP明朝」の「P」って何?

フォントの一覧で「MS明朝」と「MSP明朝」とがあるのを知っているだろうか。MSP明朝だけではない。「MSゴシック」と「MSPゴシック」、「HG教科書体」と「HGP教科書体」、「HG明朝B」と「HGP明朝B」など、多くのフォントは「P」が付いたもうひとつのフォントと対になっている。この「P」は、英語の「Proportional(プロポーショナル)」の頭文字で、〝釣り合った〟とか〝均整の取れた〟という意味だ。そして、**「P」が付くフォントを「プロポーショナルフォント」**という。

通常のフォントは、「等幅フォント」といい、どの文字も同じ幅で表示される。それに対してプロポーショナルフォントは、各文字本来の形に合わせて、1文字の幅がバラバラに表示される。その違いは、アルファベットを入力した際に顕著に表れる。「なんだ、それだけのことか」と処理されてしまいがちだが、文字の幅が違うということは、書類作成に意外と大きな影響を及ぼす。

　等幅フォントでは、各文字の幅が同じのため、文字と行末がきれいにそろう反面、アルファベットの「1」やひらがなの「し」など、幅が狭い文字が隣の文字との間に空白が表示されて、間が抜けた感じになってしまう。プロポーショナルフォントでは、それぞれの文字によって適切な幅となっているため、引き締まって見えるが、各行の文字と行末がガタガタに見える。どちらを選ぶかは好みの問題だが、一般的にプロポーショナルフォントの方が読みやすいとされている。なお、「メイリオ」、「Meiryo UI」、「游ゴシック」、「游明朝」、「Yu Gothic UI」には、名前に「P」が付いていないが、プロポーショナルフォントだ。

▲同じ幅にするために少々無理やり感がある

▲文字のバランスが取れて読みやすい

フォントのいろは

アプリのインストールで起こるフォントのトラブルとは?

書類作成時にフォントを選択しようとフォント一覧を表示すると、インストールした覚えがないたくさんのフォントが表示された……といったことは、ほとんどの人が経験したことがあるだろう。これは、アプリに付属しているフォントが、アプリをインストールしたときに同時にインストールされたものだ。

フォントの数が多いことは、それだけ選択肢が増えるため悪いことではないのだが、トラブルも起こりやすくなる。

どのパソコンも同じフォントがあるとは限らない

パソコン間で文書ファイルをやり取りする際、双方のパソコンに同じフォントがインストールされていれば、レイアウトは崩れることなく再現される。しかし、文書ファイルに、一方のパソコンにインストールされていないフォントが使われている場合、そのフォントの部分が他のフォントで代用されるためにうまく再現されず、レイアウトが崩れてしまう場合がある。

Windows と Microsoft Office の付属フォントとは

Windowsにも日本語フォントが付属しているが、Windowsのバージョンによって種類が違うので注意が必要だ。また、あまり知られていないがMicrosoft Office にもフォントが付属している。Windows と Microsoft Office の付属フォントは、多くのパソコンにインストールされていると考えられるので安心して使える。

Windows に付属する日本語フォントは、「MS 明朝／MSP 明朝」、「MS ゴシック／MSP ゴシック」と「メイリオ／Meiryo UI」、「游明朝」、「游ゴシック」にWindows

Windowsのバージョン	フォント
Windows10	Yu Gothic UI UDデジタル教科書体
Windows8.1/10	游ゴシック 游明朝
Windows 7/8/8.1/10	Meiryo UI
Windows Vista/7/8/8.1/10	メイリオ
Windows 初期～Windows10	MSゴシック/MSPゴシック MS明朝/MSP明朝 MS UI Gothic

10で追加された「Yu Gothic UI」と「UDデジタル教科書体」だ。

これらのフォントは、Windows10ユーザーであれば、すべてインストールされている。

Microsoft Officeに付属するフォント

Microsoft Officeには、頭文字が「HGP」、「HGS」、「HG」で始まる29種類のフォントが付属している。HGPで始まるフォントは、プロポーショナルフォント、HGSで始まるフォントは半角英数字のみ字幅を調節してあり、かなと漢字は等幅、HGで始まるフォントは等幅のフォントだ。仕事用のパソコンには、Microsoft Officeがインストールされていることが多いため、これらのフォントを使っても差し支えないだろう。

プロポーショナルフォント	半角のみプロポーショナル	等幅フォント
HGP創英角ゴシックUB	HGS創英角ゴシックUB	HG創英角ゴシックUB
HGP創英角ポップ体	HGS創英角ポップ体	HG創英角ポップ体
HGP創英プレゼンスEB	HGS創英プレゼンスEB	HG創英プレゼンスEB
HGP教科書体	HGS教科書体	HG教科書体
HGP明朝B	HGS明朝B	HG明朝B
HGP明朝E	HGS明朝E	HG明朝E
HGP行書体	HGS行書体	HG行書体
HGPゴシックE	HGSゴシックE	HGゴシックE
HGPゴシックM	HGSゴシックM	HGゴシックM
		HG丸ゴシックM-Pro
		HG正楷書体PRO

年賀状ソフトのフォントをチェックしておこう

最も多くフォントが付属するのは年賀状ソフトで、155書体前後のフォントが付属してくる。年賀状ソフトに付属するフォントは、主に毛筆書体とデザイン書体、手書き書体で、フォント名が「AR」や「C&G」、「CRC&G」、「HG」などで始まるものが多く、Microsoft Office に付属するフォントと名前が似ていて紛らわしい。

マイクロソフトストアでフォントが買える

マイクロソフトストアでは、アプリの他にフォントも販売している。マイクロソフトストアでフォントを購入するには、デスクトップ画面の余白で右クリックし、ショートカッ

▲筆まめVer.30のフォント紹介ページ

トメニューで［個人用設定］を選択して、表示される画面の左側のメニューで［フォント］を選択する。上部に［Microsoft Storeで他のフォントを入手する］をクリックすると、マイクロソフトストアのフォント販売画面が表示されるので、目的のフォントをクリックし購入手続きを進める。なお、2020年3月現在、販売されているのはアルファベットフォントのみで、日本語フォントはラインアップされていない。

フォントが増え過ぎたと感じる場合はフォントを削除しよう。フォントを削除するには、デスクトップ画面の余白を右クリックし、メニューで［個人用設定］を選択すると表示される画面で［フォント］をクリック。フォントの一覧が表示されるので削除するフォントをクリックし、［アンインストール］をクリックする。

▲不要なフォントを選択し、[アンインストール]をクリックして削除する

フォントのいろは

フリーフォントを自由に使ってはダメ？

セールでは、商品が少しでも目立つように、少し変わった楽しそうなフォントを使ってポップやチラシを作成したい。そんな場合には、フリーフォントを利用するといいだろう。「フリーフォント」とは、指定された条件を遵守することを前提に、無償でダウンロードできるフォントのことだ。既成のフォントにはない自由な発想の秀逸なフォントが数多くある。

フリーフォントの使用で注意が必要なのは、商用利用だ。フリーフォントの多くは、その利用規約に著作権は放棄していないことが明記され、**無断で営利目的に使用することを禁じている。営利目的で使用する場合は、有料になる場合もある。**また、フォントの販売、フォントを付録にした商品の販売、フォントの改変、フォントを使ったロゴの作成などを禁止している場合がほとんどだ。しかし、商用利用が可能なフリーフォントも徐々に増えできている。利用規約で商用利用の可否、商用利用が可能な範囲などをしっかり確認して、フリーフォントを上手に利用しよう。

フリーフォントを使って作成した文書は、他のパソコンで開いても、そのフォントがインストールされていなければ再現できない。複数のパソコンでポップなどを作成する場合は、それぞれのパソコンに同じフォントをインストールする必要がある。

また、フリーフォントには、アルファベットと数字しか入力できないものや、ひらがなまたはカタカナしか入力できないもの、入力できる漢字の種類が少ないものなどさまざまだ。多くの場合、ウェブページや利用規約にフォントの特徴が書かれているので、よく読んでからダウンロードしよう。

▲さまざまなフォントが配布されている「窓の杜」
URL：https://forest.watch.impress.co.jp/

青春新書
PLAYBOOKS

人生を自由自在に活動《プレイ》する

人生の活動源として

いま要求される新しい気運は、最も現実的な生々しい時代に吐息する大衆の活力と活動源である。

文明はすべてを合理化し、自主的精神はますます衰退に瀕し、自由は奪われようとしている今日、プレイブックスに課せられた役割と必要は広く新鮮な願いとなろう。

いわゆる知識人にもとめる書物は数多く窺うまでもない。

本刊行は、在来の観念類型を打破し、謂わば現代生活の機能に即する潤滑油として、逞しい生命を吹込もうとするものである。

われわれの現状は、埃りと騒音に紛れ、雑踏に苛まれ、あくせく追われる仕事に、日々の不安は健全な精神生活を妨げる圧迫感となり、まさに現実はストレス症状を呈している。

プレイブックスは、それらすべてのうっ積を吹きとばし、自由闊達な活動力を培養し、勇気と自信を生みだす最も楽しいシリーズたらんことを、われわれは鋭意貫かんとするものである。

—創始者のことば— 小澤和一

著者紹介

吉岡 豊 <よしおか ゆたか>

パソコン書籍やアウトドア雑誌の出版社の経験を経て2010年に独立。これまでiPhoneやiPadからWindows、Macintosh、Office関連までと幅広いパソコン関連書籍100冊以上の執筆実績がある。

プロが教《おし》える新常識《しんじょうしき》
パソコンの超残念《ちょうざんねん》な使《つか》い方《かた》

青春新書 PLAYBOOKS

2020年 4 月25日　第 1 刷

著　者　吉岡《よしおか》 豊《ゆたか》

発行者　小 澤 源 太 郎

責任編集　株式会社プライム涌光

電話　編集部　03(3203)2850

発行所　東京都新宿区若松町12番1号 〒162-0056　株式会社青春出版社

電話　営業部　03(3207)1916　振替番号　00190-7-98602

印刷・図書印刷　製本・フォーネット社

ISBN978-4-413-21162-8